新潮新書

古市憲寿
FURUICHI Noritoshi

楽観論

918

新潮社

はじめに

悲観論は人を賢く見せる。

現状を嘆き、社会を批判し、絶望を語ると、すぐに称賛の声が集まる。テレビや新聞、ＳＮＳを見渡しても、大量の悲観論が溢れている。「日本はもうダメだ」「世の中は悪くなるばかり」といった具合だ。

一方で楽観論には逆風が吹いている。この危機の時代において、「何とかなるよ」「大した心配はない」といった物言いは、どこか間抜けで、馬鹿らしく響いてしまう。

確かに、世界は順風満帆ではない。まだ新型コロナウィルスの完全終息は見えないし、その経済的損失も計り知れない。加えて日本には少子高齢化という喫緊の社会課題もある。安全保障やエネルギー分野でも問題は山積している。

根拠なき楽観論に批判が集まるのは当然だ。全てが精神論で乗り切れるほど、世界は優しく設計されていない。

では、ただ現実を受け入れ、嘆いていればいいのか。

かつて政治学者の丸山眞男は、「現実だから仕方ない」という発想を批判した。この国では「現実」という言葉が、変えることができない既成事実として捉えられがちだというのだ。

戦争も仕方ない。敗戦も仕方ない。民主主義も仕方ない。そんな風に、全てを「仕方ない」という態度で受け入れてしまっていいのか（『現代政治の思想と行動』）。

しばしば悲観論は、この「現実主義の陥穽」に陥ってしまう。悲観や批判は、それだけで「何かを言った風」になるからだ。

実のところ、悲観論は往々にして根拠が薄弱だ。「1970年代には大飢饉が起こり数億人が餓死する」「1980年代には核戦争が起こるだろう」「20世紀中に石油は枯渇してしまう」。

かつて流行した専門家による未来予測だが、その全てが見事に外れている。

2020年にも、「国内で約42万人が新型コロナウィルスで死亡する」「感染爆発によって、日本もニューヨークのようになる」といった悲観論が話題になった。

人々が直感的に抱く恐怖と悲観論は相性がいいのだろう。まるで、観れば嫌な気持ちになることがわかっているホラー映画を楽しむように、悲観論に飛びつく人は多い。

人間にとって、先が見えないことは大きな不安だ。そのような「どうしたらいいかわからない」という状態なら、悲観論のほうがマシに見えるのだろう。少なくとも悲観論は、現実が悲惨な理由を、説明だけはしてくれる。

しかし必ずしも現実は所与のものではない。本当は別の「現実」を作っていくこともできる。

もちろん、現実を変えるのは難しい。そんな時には、全てを「仕方ない」とあきらめてしまう前に、まずは自分自身や、自分の周囲を楽観的に捉えてみるのがいい。おみくじで「大吉」が出ると、少しいい気分になる。星座占いの結果がいいと、わずかながら幸せになる。そんな経験はないだろうか?

全く科学的根拠がなくても、ほんの些細なきっかけで人は自信を持ったり、幸せな気持ちになったりする。結果として、その気分が仕事を成功に導くこともある。

社会学では「予言の自己成就」と言うが、たとえ間違った「予言」であっても、その内容によって人間の行動や意識が影響を受け、ついにはそれが現実となってしまうことがあるのだ。

その意味で、このような危機の時代に、楽観的でいることの大切さは、ますます高まっているように思う。この本には、そのためのヒントが数多く並んでいるはずだ。

文章は書かれた順番に並んでいるが、テーマごとにわずか3ページで完結しているので、どこから読んでもらっても構わない。全ての文章には後日談を載せている。

全ての現実を「仕方ない」と受け入れたり、何の約束もない幸運を待ち望むくらいなら、せめて楽観的になったほうがいい。

統計的にも言えるが、人生は総じて「ローリスク・ハイリターン」である。人はなかなか死なないし、国家は滅多に崩壊しないし、人類滅亡もまだまだ先だろう。

何とかならないことは、ほとんどない。少なくとも、そう思って行動していたほうが、人生はずっと楽になる。

楽観論●目次

第一章　平成は終わるが日常は続く

21世紀の未来は目に見えない

２０２５年に大阪で万博が開催される。

場所は大阪市の西に位置する人工島の夢洲《ゆめしま》。電車とバスを乗り継いで行ったことがあるが、信じられないほど辺鄙《へんぴ》な場所だった。要は、使い道がなくて困っていた夢洲を何とかするために、万博を誘致したかったのだろう。

地元ではそこそこ盛り上がっているらしい。

何といっても大阪には、１９７０年万博が成功したという栄光の記憶がある。目標を大きく上回る約６４２２万人もの来場者が訪れ、その数は２０１０年の上海万博に抜かれるまでは歴代トップだった。「古き良き昭和」の象徴として、『20世紀少年』や『クレヨンしんちゃん』など多くの作品でも言及されてきた。

万博の正式名は「国際博覧会」。世界各国が最新技術を持ち寄り、「未来」を提示する博覧会である。いち早く動く歩道やテレビ電話、電気自動車などがお披露目された１９７０年万博は、未来社会の実験場でもあった。

２０２５年万博もテーマは「いのち輝く未来社会のデザイン」である。今回の万博ではどんな「未来」を掲げるのだろうか。大阪府の資料によれば、「万博のインパクト」を活かして、「誰もが生涯にわたって心身ともに健康で豊かな生活の実現」「一人ひとりのポテンシャルや個性を発揮し活躍できる社会の実現」などを目指したいのだという。

はっきり言って、全く意味がわからなかった。

人生１００年時代、大阪府民が死ぬまで健康でいて欲しいと願うのはわかる。一人ひとりの個性も発揮されたほうがいいに決まっている。

しかしなぜそれが万博で実現できると考えるのか。万博とは、たった半年のイベントである。そんなイベントを開いたくらいで、大阪が抱える社会問題が解決されるとは到底思えない。万博をきっかけに大阪を変えていくという話だとしても、だったら万博など開かずにその予算を直接、高齢化対策に回せばいい。

そもそも、未来を博覧会で展示するという発想自体が時代遅れも甚《はなは》だしい。20世紀の未来は、目に見えた。「空飛ぶ車」や「リニアモーターカー」などの模型でも展示していれば、未来を演出することができた。

しかし21世紀の未来は、目に見えにくい。というか、わざわざ博覧会になど出向かなくても、未来は誰もが持つスマホの中で、ある日突然始まる。「ポケモンＧＯ」などの画期的なサービスは、アプリとしてリリースされた瞬間、世界中で大量のユーザーを獲得した。

そんな時代に、わざわざ辺鄙な人工島に何を展示するつもりなのか。そもそも「未来社会」を実現させたいと思うなら、他国でとっくに解禁されているものを、どんどん自由化するのが先だと思う。Ｕｂｅｒも満足に使えず、大麻は医療用でさえも禁止する国に「未来」を語る資格などあるのだろうか。

万博の開催は決まってしまった。だったら特区制度を最大限活用して、夢洲を日本一自由な空間にして欲しいと思う。カジノも大麻も何でも認める。そんな万博なら盛り上がるかもね。

（2018・12・13）

本当に「いのち輝く未来社会」を実現させたいなら、人工島で時代遅れな万博をするのではなく、突然のパンデミックにも対応できるような医療体制を構築しておくべきだった。

10年前と変わらないパスポート更新

パスポートの更新に行ってきた。10年ぶりの切り替えである。驚いたのは、10年前とほぼ手続きが変わっていなかったことだ。

わざわざパスポートセンターへ出向き、書類と写真を提出し、狭苦しい待合室で順番を待ち、しかも受け取りはさらに1週間後。また同じパスポートセンターへ行かないとならない。

10年前といえば、まだ圧倒的にガラケー使用率の高かった時代だ。ちなみにインスタグラムのサービス開始は2010年、LINEは2011年である。

この10年でIT環境はがらっと変わった。老若男女がスマホを持ち歩き、新幹線のチケット予約もタクシーの配車もアプリで簡単にできるようになった。オンライン決済やネット通販も普及し、もはやほとんどのことが自宅でできる。

それにもかかわらず、パスポートはこのありさま。

僕の場合は親が本籍を変更していたので、更新手続きに戸籍謄本も必要だったのだが、その取得も面倒だった。わざわざ実家のある街まで行き、窓口で書類を受け取ってきた。一応、郵送も可能だというが、それには数日を要するという。

何だろう、この信じられない20世紀感。

そもそも戸籍制度自体、無駄ではないのか。国民を家族単位で管理する戸籍なんて仕組みがあるのは、今では日本と台湾くらいだ。

戦後、家制度が廃止される時、GHQから「戸籍を廃止して、個人別登録制にすべし」という要請があった。これに時の政府は、何と紙不足を理由に戸籍改革が難しいと返答をしている（横山文野『戦後日本の女性政策』）。戸籍なら家族で紙1枚で済むが、個人ごとに紙を用意する余裕までないというのだ。

今では、さすがにこんな屁理屈、通用しない。しかも現代日本には、巨額を投じて導入されたマイナンバー制度がある。本当ならさっさと戸籍制度を廃止して、マイナンバーに一元化してしまえばいい（言い方を変えれば、そんなこともできないマイナンバーに大した意味はない）。

なぜ国は、これほどまで窓口での手続きにこだわるのか。対面での「本人確認」が必要というかも知れないが、顔認証なんてＩＴが最も得意とするところである。現に、空港での出入国管理においては、顔認証ゲートが本格導入された。

経済産業省は今年、「空の移動革命に向けた官民協議会」なるものを設立した。「空飛ぶクルマ」の実現を目指すらしい。本当に空飛ぶクルマ（要は小型ヘリでしょ？）が普及してしまったら、空は大渋滞になる。民間が開発するのは自由だが、そんなことを国が応援する意味がわからない。

空飛ぶクルマを開発する暇があるなら、一刻も早くできる限りの申請や手続きをパソコンやスマホで行えるようにすべきだ。実はパスポートの場合、昔は電子申請ができたのだが時期尚早で撤退したという経緯がある。本当は今こそ頑張って欲しいのだけど。きちんとこの国は変われるのか、10年後のパスポート更新が今から憂鬱である。

（2018・12・20）

ようやく日本がIT後進国だという認識も広がった。今さら「脱ハンコ」や「脱FAX」の議論をしているのは悲しいが、社会は少しずつしか変わらない。パスポートもオンライン申請や戸籍謄本の添付省略などが検討されている。

昔話は未来を考える補助線

乃木坂46の高山一実さんが書いた小説『トラペジウム』を読んだ。アイドルを目指す地方の高校生を描いた物語なのだが、とても印象深い台詞があった。

「私たちってさ、未来のことばっかり話してるよね」。高校生同士が交わす他愛のない言葉なのだが、この一言には「若さ」や「青春」の本質が濃縮されているように思った。

確かに、青春のただ中にいる人は、あまり過去の話をしない。生きてきた長さが短く、達成したものも少ないので、必然的に未来の話をせざるを得ないのだ。

社会学者の小熊英二さんと対談した時に、こんなことを言われた。

「未来で評価される人が若者、現在で評価される人が大人、過去で評価される人が老人です」。まさに『トラペジウム』の登場人物は「若者」であり、「未来」を生きているのだろう。

翻って、「老い」とは昔話ばかりをすることなのだと思う。「朝まで生テレビ!」に出演した時にびっくりしたのだが、昔話の比率がとんでもなく大きいのである。あの条約が結ばれたのにはこんな裏事情があったとか、あの首相はこんなことを言っていたとか、NHKがVTRにまとめれば5分で済む話が、何十分もかけて語られる。そりゃ、議論の時間が朝まであっても足りないはずだと気付かされた。

YouTubeなどで確認する限り、昔の朝生は違ったようだ。オウム真理教幹部をスタジオに呼んだり、タブーなしのとがった企画が散見される。しかし出演者と視聴者の高齢化が進み、知識量と経験量のある論客が主導権を握るような展開が増えていったのだろう。

もちろん、昔話は悪いことばかりではない。歴史は繰り返すとの言葉通り、さも新しいことのように語られる未来予測が、実は数十年前の議論の焼き直しということは少なくない。AIが人間に置き換わるといった議論は、「人間機械論」をはじめ、百年以上前から繰り返されてきた話ばかりだ。

だから、昔話は、未来を考える補助線として有用なことも多い。しかし多くの場合、昔話はただのおしゃべりとして消費される。

アンチエイジング（「老い」に抗う）といえば、スキンケアばかりが注目されがちだ。しかしもっと心のアンチエイジングが重要視されてもいいのではないか。

イギリスのエリザベス女王が、オバマ前米大統領のミシェル夫人に「王室のしきたりなんて全てくだらない」と言い放ったことがあるという。90代とは思えない前衛的な発言だ。70代のヴィヴィアン・ウエストウッドもシェールガス開発に抗議するため、イギリス首相のコテージに戦車で現れたことがあった。

実年齢と、その人が精神的に老いているかは、全くの別問題だ（そういえば我が国でも、未来のことを聞かれて、意味深に「ジーヴス」という名前を出された方がいた。パンクだ）。

僕もこの連載で不安なのは、昔と同じ話を書いていないかということ。まあでも読む方も覚えていないからいいのか。共に老いていくという朝生スタイルだ。（2018・12・27）

高校生や大学生でも「中学の頃はよかったよね」と話す人がいる。社会が成熟し、未来が見えにくい時代では、年齢に関係なく人々は老いてしまうのかも知れない。

日常は意外としぶとい

今から約20年前、中学生だった僕は世紀末を楽しみにしていた。時はちょうど20世紀の終わり。超高層ビルが建ち並ぶ未来都市の日没、寂しそうな顔をしたカップルがその様子を眺めている。ノストラダムスの予言を本気で信じていたわけではないが、「世紀末」という言葉から、勝手にそんな風景を想像していた。

しかし実際に訪れた世紀末は、終末感とは無縁の、のんべんだらりとしたものだった。globeが1998年に発売した「Love again」というアルバムがある。当初のタイトルは「edge」（へり、瀬戸際）だったという。だが、街を行くカップルたちがとても「世紀末なんだね」という会話をしているようには思えず、タイトルを変えたというエピソードがある。

確かに90年代後半の雰囲気としては、「edge」よりも、社会学者の宮台真司さんがしきりに言っていた「終わりなき日常」のほうがふさわしいと思う。阪神・淡路大震災、地下鉄サリン事件など凄惨な出来事がたくさん起こったはずなのに、なぜかすぐに平和な「日常」が戻ってきてしまう。

それは、２０１１年の東日本大震災の時も同じだった。震災直後、東日本を中心にまるで世界の終わりのような空気に人々が包まれた。首相は悲《ひ》愴《そう》な顔で記者会見をする。多くの人が刻一刻と伝えられる原発の情報に固唾《かたず》を呑む。

だが、そんな有事の時間は、あっさりと過ぎ去った。夏までは節電のために街が暗かったりと、何となく地震の「後遺症」があったと思う。しかしその後、あっという間に「日常」は戻ってきてしまった。

僕は２０１１年秋に『絶望の国の幸福な若者たち』という本を出版したのだが、その頃は日本が「絶望の国」であることに同意してくれる人も多かった。原発の廃炉問題、巨額の財政赤字、少子高齢化による社会保障費の増大などがその根拠だ。

しかし今、日本を「絶望の国」と考える人がどれだけいるだろう。僕自身でさえ、とてもそうは思えない。あの頃と今で、日本の置かれた状況がそれほど変わったわけではないというのに。

それくらい、人間は慣れやすい生き物ということなのだろう。どんな大事件が起きたとしても、あっけなく「日常」は舞い戻る。

そして訪れた「平成最後の年末年始」。

やはり終末感とはほど遠い。しかも、4ヶ月後には改元というビッグイベントが控えていることもあり、今年の年越しは何だか中途半端だ。

オリンピックや万博も終わり、日本の将来が明るくないことが発覚するときに、ついに「日常」は姿を消すのだろうか（しかしそれは「終末感」ではなく、本当の「終末」である）。それとも、しぶとく「日常」は存在し続けるのだろうか。

おそらく後者だ。『この世界の片隅に』で描かれていたように、人は戦時下でさえ「日常」の中に小さな幸せを探し出すことができる。

そんなことを考えているうちに、中途半端に2018年も終わっていく。そしてアンチには残念だろうが、この連載は2019年も続く。

（2019・1・3／10）

新型コロナウィルスの流行でも「日常」の強さを再確認させられた。「新しい生活様式」がすぐに普及するはずもなく、世間の目をかいくぐりながら、何とか「日常」を模索した人も多い。しかし「日常」の中に小さな幸福を見つける心性は、体制にとっても都合がいいことも忘れずにいたい。

元祖ミニマリスト・鴨長明《かものちょうめい》

「ゆく河の流れは絶えずして、しかも、もとの水にあらず」

子どもの頃から、この一節で始まる鴨長明の『方丈記』が好きだった。たった30文字足らずで、世界の核心を突いているように思えたからだ。

河の流れは絶えないが、その流れをなす水はどんどん変わっていくというのは、様々な事象に当てはまる。

たとえば毎朝、駅前では会社や学校を目指す人々がせわしなく行き交う。しかしおそらく彼らは100年前にはこの世界にいなかったし、100年後も生きてはいないだろう。100年前にも100年後にも何らかの形で「社会」は存在しているはずだが、その構成員はほとんど変わっている。

このエッセイを連載している『週刊新潮』も同じだ。創刊は1956年と聞いているが、その時とは執筆陣も編集者も様変わりしている（創刊当初からデヴィ夫人のゴシップ記事が誌面を賑わせていて、彼女の息の長さには驚かされるけど）。

全ては移り変わっていく。『方丈記』の根底には、そのような無常観が横たわっている。平安京に建ち並ぶ豪勢な建物も、「世々を経て尽きせぬもの」のように思えてしまうが、実は昔からある家は少ない。木造建築が主流で、消防車なんてなかった時代には、都は何度も大火に包まれていた。

また、農業技術も医療技術も未発達だったので、飢饉《ききん》や疫病に見舞われるたびに、多くの人が命を落としていた。『方丈記』には、都中に片付けられもしない死骸が打ち捨てられている描写が登場する。

鴨長明が描いたのは12世紀末のそんな殺伐とした街の姿だった。

しかし考えてみれば、それから人間は多くのものを克服してきた。完全に生老病死から自由になったわけではないが、日本人の平均寿命は84歳を超え、「飢饉」はほとんど死語になった。

不思議なのは、それほど時代が変わったのに『方丈記』の後半で説かれることと、現代の自己啓発書が驚くほど似ていることだ。鴨長明は50歳を機に遁世《とんせい》生活に入っているが、とにかく執着を捨てることの有用性を説く。隠遁してから、無駄に着飾る必要もなくなり、他人に嫉妬することもなくなり、気楽な毎日を送れるようになったという。

今でいうミニマリストが『朝日新聞』あたりで熱弁していることと、驚くほど近い。もちろん水道や電気くらいは使うだろう現代のミニマリストのほうが、鴨長明時代の貴族よりも快適な生活を送れているはずだ。それでも「執着を捨てろ」という言葉が時代を超えて心地よく響くのは、いくらモノを手に入れても満足できない人間の貪欲さを逆説的に証明している。

それは一つの皮肉な未来も暗示していると思う。どんなに社会が豊かになろうと、人々はより高みを目指す競争を止めないだろうし、そこから自由になろうというメッセージも消えないだろうということだ。「河の流れ」のように、２０１９年も醜い諍《いさか》いがたくさん起こるのだろう。週刊誌の伝えるそれらの出来事を今から楽しみにしている。

（２０１９・１・17）

現代人のミニマリストが奈良時代にタイムスリップしてしまう石川ローズさんの漫画『あをによし、それもよし』が面白い。確かに若くて健康なミニマリストにとっては、古代暮らしも悪くないのだろう。

北欧の幸福を支えるもの

「アナザースカイ」というテレビ番組の収録でノルウェーに来ている。

僕が初めてこの国を訪れたのは2005年。大学3年生で同級生は就活を始める時期だった。その雰囲気から逃れるように、交換留学先にノルウェーを選んだのだ。

ノルウェーを含めた北欧は、とにかく素晴らしいイメージで語られることが多い。幸福度が高く、男女平等が徹底していて、高福祉で将来を心配しなくていい最高の社会といった具合だ。

僕も留学に来る前はそんな素朴な北欧像を抱いていた。しかし実際にノルウェーで1年間暮らしてみると、その北欧像は大きく裏切られることになった。

まず首都オスロに来て驚いたのは娯楽の少なさだ。ディズニーランドのような巨大遊園地もなければ、大きなショッピングモールもない。しかもほとんどの商店は日曜日には完全休業。休日にすることといえば、友人とのホームパーティだったり、湖のほとりを散歩したり。日本とのあまりの違いに面食らった。

手に入るものの種類も少ない。チョコレートにしても牛乳にしても、ブランドの数や新商品が出る頻度は、日本とは比べものにならない。まさに「足るを知る者は富む」を実践している人々だと思った。

北欧の「幸福」を支えていたのは、こうした地味な日常生活だったのである。若者までがまるで老後のような日々を送っている国だと思った。だから野心の強いノルウェー人は、海外へ行ってしまうことが多い。

一般的なノルウェー人はあまり多くのことを望まない。家族を持ち、家を持ち、できれば別荘やボートを持つ。そのような人並みの幸せこそが理想とされる。

オスロ大学教授の安倍オースタッド玲子さんに教えてもらったのだが、北欧には「ヤンテの掟」という考え方がある。「普通であることこそが素晴らしい」「自分を他人より優れていると思うな」といった意味で使われることが多い。要は「普通（であること）のススメ」だ。

誰かを出し抜いてまで幸せになるのではなく、あくまでも「普通」の生活の延長に幸福を求める。だから、この国で頑張りすぎることは、時に悪とされる。

安倍さんも、あまりにも熱心に教育や研究に打ち込んでいると、大学側から注意されるらしい。ストレスをためて休職されるくらいなら、毎日適度に働いてもらうほうが、社会全体にとっては利益が大きいという発想なのだろう。

いつまでも気の休まることのない競争を続け、すぐに自分と他人を比べたがる日本の人々が、北欧を理想とするのはよくわかる。

もちろんノルウェーに問題がないわけではない。移民や原油価格の下落など懸念事項は多い。個人単位でも、将来に全く不安がないという人ばかりでもない。

しかし、ノルウェー人がよく使う言葉がある。「Det ordner seg」。「大丈夫」「何とかなる」という意味だ（時に「誰かが何とかしてくれる」という願望が混じる）。このような楽観性を持てれば、日本社会も少しは生きやすくなるのかも知れない。（2019・1・24）

もし「一生に一度は出てみたいテレビ番組ランキング」があったら、1位は「アナザースカイ」なのではないかと思う。海外渡航が自由な時代に出演しておいてよかった。予定はないが「結婚式で流したいランキング」1位も、おそらくこの番組である。

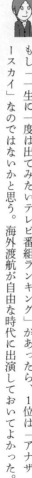

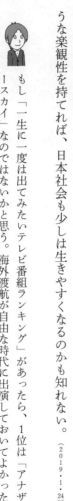

平成最後の「芥川賞」候補者体験記

芥川賞をもらえなかった。

もちろん残念ではある。その時の心境を忘れないように、ツイッターにはすぐに「がーーーーーーん」とつぶやいた。まがりなりにも「芥川賞候補作家」としては、信じられないほど貧弱な語彙だが、それが率直な想いだったのだから仕方ない。

もっとも見事芥川賞を受賞した上田岳弘さんも、受賞がわかった時の気持ちを尋ねられて「受賞したな」と率直な言葉を漏らしていた。作家性と、咄嗟に出てくる言葉に、あまり関連性はないのだろう。

僕の場合、選考会当日は友人と焼き肉を食べた後、帰宅途中に報告の電話をもらった。実は、電話の第一声で受賞か落選かはわかる。もしも賞をとれていた場合、主催の日本文学振興会から直接連絡をもらう。一方、選外だった場合は文藝春秋の編集者からの電話となる（今後、芥川賞や直木賞にノミネートされた時はぜひ参考にして欲しい）。

だから電話を取って、「文藝春秋」の「ぶ」の声が聞こえた瞬間に、今回は賞がダメだったことがわかった。

確かに残念だった。ただ冷静になって考えてみると、悲しいのは『平成くん、さようなら』という作品が評価されなかったことではない。僕にとって『平成くん』は、非常に大切な小説だ。誰が何と言おうと、作品世界や登場人物に対する愛情が揺らぐことはない。「平成くん」も「愛ちゃん」も、平成が続くこの世界のどこかにいるような気がするし、きっと平成が終わっても彼らのことを思い出すのだと思う。

では何がショックだったかというと、周囲の期待に応えられなかったことかも知れない。芥川賞にノミネートされて、たくさんの人からお祝いの連絡をもらった。感想を聞くとほぼ誰も答えられなかったので、小説を読んでくれたわけではない。

中には「頑張ってね」と言ってくれる人もいた。小説自体はすでに発表されたものであり、賞の選考にあたって僕が頑張れることは何もない。

だけど、応援の言葉をもらうたびに、「みなさんの期待に応えたい」と思ってしまう。そう、まるでアイドルのようなのだ。

というわけで、芥川賞にノミネートされてから、選考会までの1ヶ月は、まるでアイドルのような気分だったと思う。しかし応援はありがたいが、時に煩わしくもある。特に自分ではどうしようもないことに対する応援なら尚更だ。

だから、賞の結果が出て、少しほっとしている。応援がぱたっと止んだからだ。だけど、もともと仲のいい友人は、変わらずに一緒にいてくれる。

たとえば選考会前、俳優の佐藤健から「もし賞をとれなかったら、何でも願いを一つ叶えてあげるよ」という格好いいことを言われた。何人もの友人からは、残念会をしようという誘いがあった。そんな友だちの優しさを再確認できただけでも、今回の一件は悪くなかったのかなと思う。と、無難にこの文章をまとめようとしているのは、アイドル期間の後遺症かも知れない。

（２０１９・１・31）

『平成くん、さようなら』の舞台は２０１８年から２０１９年にかけての日本だった。登場人物はその後に訪れる世界的パンデミックのことを知らない。２０２１年に出版した文庫版では巻末に注解をつけて、「その後」の世界に触れてみた。

僕の人生の指針のようなもの

『君たちはどう生きるか』。吉野源三郎のベストセラーだが、この問いかけは誰にとっても、そして人生のいつの段階においても意味があるものだと思う。

なぜなら胸を張って「どう生きるか」を決められる人など決して多くないだろうから。そしてその決定によって、人生の姿はまるで変わってくるだろうから。

僕自身、「どう生きるか」を考えたことはあまりない。しかし事後的に振り返ってみると、いくつか指針のようなものはあったと思う。

たとえば「できるだけ努力をしないようにする」。

子どもの頃、自分が運動能力に恵まれていないことに気が付いた。だから、体育を頑張るのをやめた。そのせいで、僕はドリブルもできなければ、走るフォームもどこかおかしい。

もしそこで努力をしていれば、人並みくらいには運動ができるようになっていたかも知れない。しかし諦めたのには理由がある。運動をして、身体を鍛えることを、努力とも思っていない人たちがいたからだ。好きで運動をしている人に、いやいや運動をしている人が敵う確率はおそらく低い。

そう気付いてから、努めて自分がストレスなくできることに時間を費やしてきた。たとえば、子どもの頃から文章を書いたり、図鑑を読んで情報をまとめることが好きだった。それは結局、今の仕事に直結している。

最近、大事にしているのは「誰かのためだけに生きない」ということ。友だちの誕生日を祝ったり、頼まれごとを聞くのは嫌いではないが、それが「義務」にならないようにしている。

善意や自発性から始まった行為も、繰り返すうちに義務になることがある。だから、きちんと互いに利益があるかを考える（言葉にすると嫌な話だけど）。友人の誕生日会を開催するときは、さりげなく自分も会いたい人を呼んだりと、「Ｗｉｎ―Ｗｉｎ」を意識する。

「Ｗｉｎ―Ｗｉｎ」という言葉を嫌う人もいるが、無垢な善意ほど怖いものはない。きちんと計算をしてお互いにとってのメリットを探ったほうが、結果的に人間関係はうまくいくと思う。

義務感は、大したものを生まない。好きじゃないものは続かない。そう考えるから、過剰に他人の視線を意識することもやめる。

たとえば、テレビで発言をするとき、「こう言えば褒められるかな」と一瞬よぎることがある。だけど、仮にそのような発言が褒められたところで、それは自分の自由な意見ではない。

こう整理していくと、自分が一番大切にしているのは「自己決定」なのかなと思う。所得や学歴よりも、「自己決定」が幸福度に影響しているという研究もある。

もちろん完全な「自己決定」などないのかも知れない。人は常に影響を受ける。どんな決定にも、他人や社会の影響は皆無ではない。

だけど僕の場合、「自分で決めた」ことに関しては、失敗しても「仕方ない」と思える。いらぬ炎上騒ぎに巻き込まれ続けているのも、自己決定の結果だから仕方ない。下手にマネージャーがいなくてよかった。

（２０１９・２・７）

「よかれと思って」というのは地獄の言葉だと思う。人類史上、どれだけの不幸が「よかれと思って」という善意によって引き起こされてきたか。

テレビで緊張しない理由

テレビ番組に出る時、緊張しないのかと聞かれることがある。結論からいえば、しない。なぜならそれが、僕にとって一世一代の勝負の場などではないからだ。

もしある番組に出ることで人生がまるで変わるならば、さすがに身構えたりすると思う。でも、そんなことはまずない。

素晴らしいことを言ったからといって、大富豪が養子に迎えてくれることもなければ、まずい発言をしたからといって、命を狙われることもない（もしかしたら後者はあり得るのだろうか）。

実際はせいぜいネットで褒められたり、炎上するくらいで、それは長期的な人生にはほとんど影響を及ぼさない。

緊張とは、自分自身に対する過大な期待から生じることが多い。できるはずとか、うまくやろうという思いが、緊張を生む。そして失敗した場合は、下手すると自己嫌悪することもある。

だけど、僕にとってのテレビとは、もともと専門外。こんな滑舌が悪く早口の人間がテレビに出ていること自体、本当はおかしいと思っている。だから、そもそもテレビで活躍してやろうなんて思っていない。

テレビだけで勝負するということは、松本人志さんたちと同じ土俵で戦うということだ。そんなことは無理に決まっている。

最近は『平成くん、さようなら』という小説のプロモーションもあり、多少多めにテレビに出ていた。だから認知度は上がったかもしれない。だけど、ある日テレビに出るのをやめると、世間はあっけなく僕のことを忘れていくのだろう。

「あの人は今!?」という番組があったが、ほとんどの人は「あの人」として顧みられることもなく、表舞台から消えていく。

テレビに出るとは、所詮その程度のことだ。自分で言うのもなんだが、最近の僕には多少の需要があるのだろう。「人気」と言い換えてもいい。ただ、人気ほどあやふやで、なんの裏付けもない指標も珍しい。だから、人気のあるなしに一喜一憂しても仕方がない。

結局のところ、長く活躍できる人に共通しているのは、専門性があることだと思う。秋元康さんなら「作詞家」だし、林真理子さんなら「小説家」。誰がなんと言おうと、秋元さんが「川の流れのように」を作詞した事実はゆらがない。林さんもいくらエッセイが炎上しようとも、小説で数々の賞を獲得してきた歴史は消えない。

翻ってみて、僕自身にはまだ代表作と呼べる作品がないことに気が付く。そこそこ話題になった本はあるが、「そこそこ」止まり。十年後に覚えている人がどれだけいるかは心許ない。

じゃあどうしようという時にできるのは、結局続けることくらいだ。この連載をまとめた新書が4月に出版される予定なのだが、自分で読み返しても、たまにはいいことが書いてあった。

このように自分に甘い人間は成長しないとも言われるが、緊張や萎縮をして、何も作品を生み出さないよりは遥かにいいはずだ。頑張らずに代表作書きたいなあ。

（2019・2・14）

テレビ出演とは面白いもので、影響力のある番組に出たすぐ後は、やたら街でも声をかけられる。しかしその影響はせいぜい数日。テレビにおける出演者と視聴者の関係は、それくらいカジュアルなものなのだろう。

ＹｏｕＴｕｂｅｒとテレビタレントの違い

たまたま、トップＹｏｕＴｕｂｅｒと会う機会があった。年収は軽く億を超え、資産でいえば数十億円あってもおかしくない成功者だ。

しかしその人は少しも楽しそうではなかった。いかにも疲れたという顔をして、ほぼ毎日公開しなくてはならない動画制作へのプレッシャーを素直に語っていた。

自分が成功したのは先行者だったから。流行をどんどん取り入れているが、どんどん若手が出てくる世界。ずっと一人で作業してきたが、それももう限界。だけど作業を誰かに任せるのもまたストレス。

子どもの将来なりたい職業にＹｏｕＴｕｂｅｒがランクインして久しい。しかしＹｏｕＴｕｂｅｒは中々に大変な仕事だ。それはテレビタレントと比べてみてもわかる。

テレビにはとにかく多くの人が関わっている。たとえば毎朝放送される情報番組なら軽く数百人、週一の深夜番組でも数十人のスタッフは珍しくない。

画面に出てくるのは出演者だけだが、彼らが面白く見えるネタや演出が、ふんだんに準備されている。もちろん局のカラーとして、日本テレビは台本がしっかりしていて収録時間も長いとか、フジテレビは台本がない番組もあるくらい出演者任せとか、その程度の違いはある。だがそれでも出演者の負担は、ＹｏｕＴｕｂｅｒと比べれば軽いことが多い。

一般的なＹｏｕＴｕｂｅｒは、企画から撮影、出演、編集までをほぼ一人でこなす。視聴者を増やすことを考えれば、更新頻度は毎日が理想だ。しかし３６５日新しいネタを考え続けるなんて、並大抵の努力では無理。スタッフを雇えばいいと思うかも知れないが、優秀な仲間探しは本当に難しい。

だが面白いことに、「会ってがっかり」ということが多いのは、テレビタレントではなくＹｏｕＴｕｂｅｒだと思う。テレビは生放送も多いので、大抵の出演者は反射的に面白いことが言える。またＭＣ的に場を回していける人も多い。こうした「能力」を持つ人は、食事会や飲み会で人気者になりやすい。

一方、ＹｏｕＴｕｂｅの世界では、企画と編集能力こそが人気動画のキモである。どちらかといえば裏方タイプのほうが成功確率が高いのだろう。だからいざ会っても「編集前」のＹｏｕＴｕｂｅｒには拍子抜けということが少なくない。もちろんゆっくり話せば彼らの賢さや面白さに気付く。しかし、男女問わずモテたり、人気者になるのは、テレビタレントだ。

現代社会で「頭の良さ」というと、①その場でウィットの効いた返しができるといったような「コミュニケーション能力」ばかりが求められる。しかし実際には、②物事をたくさん知っているという「頭の良さ」もあれば、③論理的な思考ができる「頭の良さ」もある。

テレビタレントが求められるのは、もっぱら①の「コミュニケーション能力」。しかしＹｏｕＴｕｂｅｒとして成功するには、②や③の意味での「頭の良さ」も必要。ＹｏｕＴｕｂｅｒに憧れる子どもが増えるのは、この国にとっていいことなのかも知れない。

（２０１９・２・21）

企画能力や編集技術が必要なＹｏｕＴｕｂｅｒと違い、ＴｉｋＴｏｋｅｒになるのは非常に簡単だ。あらかじめ豊富な素材が用意されている上に、尺も短い。しかしいくら視聴回数が増えても、直接の収益にはならない。そこで有名になったＴｉｋＴｏｋｅｒは、ＹｏｕＴｕｂｅｒを目指すのだ。

オンラインサロンの宗教性

あるベンチャー企業の話だ（一応、架空ということにしておく）。

創業当初、人手もお金もなかったので、大学生をアルバイトで安く雇うことにした。さらに事業が拡大しそうになったので、今度は「バイト」を「インターン」と名前を変え、ただ働きをさせることにした。すると不思議なことに、お金を払っていた時よりも熱心な学生が集まって来る。

ここで経営者はさらに一計を案じた。「インターン」ではなく「教室」ということにして、集まってきた人から「授業料」を取って仕事を任せてみたのだ。結果は大成功だった。

お願いしている仕事自体は、「バイト」時代と「教室」時代で大して変わっていない。しかし「教室」の場合、みんな何かを得ようと熱心だし、仕事を義務だと思わずに、自己研鑽の一過程だと信じてくれる。結果、お金を払って頼んでいたことが、逆にお金を生む収益源になってしまったのだ。

この事例は極端だが、お金を払った時のほうが熱意を持って物事に取り組めるというのは、誰にでも心当たりがあるのではないだろうか。

たとえば最近流行のオンラインサロン。有名人が主宰者となり、支援者から月謝を集め、様々な交流をする集まりのことだ。ホリエモンなどの人気サロンは、月に1000万円以上の収益を上げている。

中には、「仕事」にしか見えないことに、メンバーが嬉々として取り組んでいるサロンもある。イベントの準備をしたり、文字起こしをしたり、主宰者の鞄持ちになったり。当人が満足しているのだから他人が口を挟むことは何もない。

ただその様子は新興宗教に似ている。同じ価値観を持った人が集まり、教祖や教団のために尽くそうとする。信者は新たな信者集めに奔走《ほんそう》したり、他宗教を罵《ののし》ったりする。

もちろん宗教を持つのは、悪いことではない。日本ではオウム真理教事件以降、「宗教」に対するアレルギーが強くなったが、人々から信仰心が消えたわけではない。

NHKの「『日本人の意識』調査」を見てみると、特定の宗教行為を日常的に行う人は減っている。しかし「あの世、来世」「奇跡」「お守りやおふだの力」など「宗教的なもの」を信じる人の割合は増加傾向にあった。最新の調査でも若い世代ほど「あの世」

や「奇跡」を信じている。

実際、21世紀に入ると「スピリチュアル」ブームが起こり、パワースポットも話題になった。しまいにはどこでもパワースポットということになり、原発事故前にはある脚本家が原子炉格納容器の上に立ち、「まさにウランの核分裂が起きているというものすごいパワースポット！」と叫ぶ有様だった（『婦人公論』２００９年8月22日号）。

人々が一切の宗教と無縁で暮らすことは難しい。合理的思考だけで生きていけるほど強い人は中々いない。そこに登場したのが、新興宗教であり、スピリチュアルであり、オンラインサロンなのだろう。しかし教祖もまた人間。彼や彼女が不安になった時はどうするのか。教祖だけが入れる宗教、儲かりそうである。

（２０１９・２・28）

オンラインサロンを主宰する文化人には、それっぽいだけで意味不明な発言をする人もいるが、おかしな教祖だと思えば辻褄《つじつま》が合う。新興宗教は信者離れに苦しんでいるというが、その現代版がオンラインサロンなのだろう。

革命は月曜日に起こりやすい

満たされている時、誰かを憎むのは難しい。仕事はうまくいっているし、友人や恋人にも恵まれている。そんな人は、ちょっとの嫌なことがあっても「まあ、いいか」と思ってしまう。一方で、自分がうまくいっていない時は、そうはいかない。過去のことを蒸し返してまで誰かに恨みをぶつけるということもあると思う。

革命は月曜日に起こりやすいという説がある。安息の日曜日が終わり、仕事に行きたくない労働者が騒乱を起こしやすいというのだ。

それはちょっと大げさとしても、19世紀のパリ警察が、月曜日を警戒していたのは本当だ（喜安朗『パリの聖月曜日』）。週の初めである月曜日は、労働者が自主休業をして、居酒屋に集まることが多かった。大酒を飲んだ彼らは気が大きくなり、それがストライキやデモといった社会運動に発展しやすかったという。

何となく気持ちはわかってしまう。社会運動に参加することにはリスクが伴う。かつてなら権力に弾圧される危険性もあっただろうし、時間も体力も必要だ。

よりよい社会の到来は万人の希望だとしても、自分でその変革に関わるよりも、傍観者でいたほうがコスパはいい。しかも社会は簡単には変わらない。

そんなことは19世紀のパリの労働者も認識していた。彼らは、革命が起こった後も、自分たちの生活が何も変わっていないことに気付く。革命によって政権だけは代わったが、自らの貧困は解決されていない、と。

現代日本でも同じことが言えるだろう。2009年の政権交代で、少なくない国民が民主党政権に期待した。この国が変わると思った。しかし今や「悪夢のような民主党政権時代」と揶揄される始末だ。

では政権交代前の自民党が「瑞夢《ずいむ》」や「吉夢《きちむ》」だったかといえば、それも怪しい。世界金融危機の影響で景気は低迷、閣僚のスキャンダルも多かった。

もちろん政権交代に一定の意味はあったのだろう。不十分とはいえ、若年層に向けた社会保障にスポットライトが当たったし、TPP交渉への参加も決断した。これらの政策は、その後の自民党政権にも受け継がれている。

政権交代は、現行の憲法や法律さえも無効になるだろう暴力革命に比べれば、はるかにマシだ。一滴の血も流さずに行われる。

それでも、なかなか政権交代が現実味を帯びないのは、政権が代わっても自分たちの生活が大きく変化しないことに気付いた人々のせいかも知れない。19世紀のパリの労働者と同じだ。

もちろん、本当に困った人が国中に溢れたら話は別である。しかしこの国の生活満足度は、2018年には過去最高となる74・7%を記録した。内訳を見ると、「まあ満足」という消極的な回答が多いので、あきらめ混じりの「満足」なのだろう。

しかし、そんな後ろ向きの「満足」ほど、簡単に心変わりはしないのではないかと思う。大した期待もしていない分だけ、少しくらいの嫌なことでは達観してしまえるからである。

（2019・3・7）

戦後日本を振り返ってみても、個人の生活にとっては、政治などよりも技術の進歩が与えた影響のほうが大きい。テレビや冷蔵庫が普及し、誰もがスマホでインターネットを使う時代が訪れた。政治は万が一の有事にさえ機能すればいいのかも知れない（それさえもできないことが発覚してしまったけれど）。

完璧主義という罪な思想

友人のある漫画家は、とにかくこだわりが強い。せっかく引いた線に納得がいかなくて、何度もやり直しをすることは日常茶飯事。自分のことを「空白恐怖症」と呼ぶくらい、背景もきちんと描き込みたい。

ここまでは「作家のこだわり」で済む話なのだが、問題はその完璧主義ゆえに締め切りを守れないこと。その人の中では「80点」も「90点」もなく「100点」しかない。「100点」を目指す試行錯誤をしている間に締め切りが来て、結果的に下絵が雑誌に掲載されてしまうこともある。

他人からは本末転倒に見えるだろう。しかも素人には「80点」も「100点」も、ほとんど区別なんてできない。だから「80点」で諦めればいいのにと思ってしまう。しかし漫画家本人からすれば、その差は歴然としているのだという。

同じような話を、別のクリエーターからも聞いた。その人も、数年前まではまるで完璧な彫刻を作り上げるかのように、作品作りをしていたという。何度も像を削っては、少しでも気に入らなければボツにする、の繰り返し。

しかしある時期から、制作方法を変えたという。作品をその時の自分のドキュメント（記録物）だと思うようにした。どんな作品も時代やら環境やらに左右される。だったら、自分に与えられた条件の中で、そのタイミングでしか作れないものを残せばいいのではないか。

そう意識を切り替えてからは、多くの作品を残せるようになった。しかもその時期にいくつもの大ヒットを飛ばしている。

完璧主義という思想は罪だと思う。なぜなら、本当に「完璧」なものなどあるのか、という話になるからだ。現代人が絶賛したものが時代に耐えられるかわからないし、違う文化圏で受け入れられるかも不明だ。

仮に「完璧」に見えるものがあるとすれば、それはいくつもの条件や制約の上に辛うじて成立しているに過ぎない。現実世界では、ゲームのような「完勝」や「完敗」はない。それはルールがゲームよりもはるかに曖昧な上に、ルール自体の変更さえもよくあるからだ。

「完璧」は概念としてしかあり得ないのだろう。もちろん、その「完璧」を追い求める姿は美しいし、その探求を止めるべきではないのかも知れないが、残念ながら人生は有限である。

「あたかも一万年も生きるかのように行動するな」とはマルクス・アウレーリウスの『自省録』にある有名なフレーズ。こんな言葉もある。『平成くん、さようなら』でも書いたが、「締め切りのある人生を生きてください」。歴史学者の佐藤卓己さんに聞いてからやけに印象に残っている。

もしもこの世界から締め切りが消えたなら、ほとんどの雑誌や本は刊行されないだろう。音楽も映画もなくなってしまうかも知れない。それくらい締め切りとは貴いものなのである。

ちなみにこの原稿の締め切りは今日。友人と映画を観に行くためにあと3分で家を出る必要がある。完璧主義者じゃなくてよかった。

（2019・3・14）

記憶を遡ると、漫画家の青木琴美さんと、ミュージシャンの野田洋次郎くんの話をしているのだと思う。

こんまりが世界的に注目された理由

ものを捨てるタイミングには、いつも迷う。

最も楽なのは食品だ。消費期限が設定されていて、その期間内に手をつけられなかったものは捨てればいい。何せ下手をしたらお腹を壊す。消費期限を大きく超過した食べ物を大切に保管する人はいないだろう。

家電もそれほど難しくない。テレビやパソコンは使っているうちに調子が悪くなってきたり、明らかに良質な新製品が発売されたりする。進化が止まったように見えるスマホも、数年前と最新の機種を比べてみると、画面やカメラの画質がきれいになっていてびっくりする。

だから僕自身、家電を買い換えたり、捨てることに抵抗は少ない。一部のマニアを除けば、20年前のパソコンを大事に使っている人は少数派だろう。

まあまあ迷うのが服。家電などのような機能的な価値に、流行という要素が加わる。物理的にはまだまだ着られる服も、ちょっとしたシルエットやサイズ感の違いで、流行遅れの格好悪いものに見えてしまう。その見極めには、個人的な好みやセンスが関わってくる。

本当に難しいのは家具だ。まず、家電と違って中々壊れない。これまで買ったことのある家具で、壊れて捨てたものといえばＩＫＥＡの本棚くらい。しかも本当は流行があるのだろうが、一般人にはわかりにくい。下手したら、家具には「一生もの」という感覚さえある。

あるインテリアショップの社長によると、日本は家具の買い換えまでの期間が、異様なほど長い国だという。実際、人口当たりの家具屋の数も少ない。

そういえば僕の北欧の友人も、よく家のリフォームをしている。当然のように家具も定期的に買い換えていた。家にいる時間が長く、ホームパーティー文化もあるので、お金をかけてでも「素敵な家」を作りたいと思うのだろう。

昔の人には、捨てる悩みなんてなかったはずだ。ものが貴重な時代には、壊れるまで使い続けるのは当たり前だった。しかし現代でそんなことをしていれば、あっという間にゴミ屋敷が誕生してしまう。

片づけコンサルタントの近藤麻理恵（こんまり）さんが、世界的に注目を浴びるのもわかる。近藤理論は単純明快。触った瞬間に「ときめく」ものは残し、そうでないものは捨てればいい。

近藤さんがすごいのは、片づけという行為を宗教的行為にまで高めたことだ。『人生がときめく片づけの魔法』によれば、「片づけ後のあなたは、もはや今のあなたとは別人」だという。「片づけ」は心を満たし、人を幸せにする。服を捨てると、痩せるとまでほのめかす。入信したくなる宗教だ。

ものが溢れる時代の片づけには、合理的根拠を超えた「何か」が必要である。合理的に考えれば、まだ着られる服や、使えるテーブルを捨てるのは明らかにもったいない。資源の無駄遣いともいえる。でもそんな人生は、賢くはあっても、ときめかない。その意味で、片づけと宗教が結びつくのは必然だったのだろう。

（2019・3・21）

最近、テレビを買い換えたら、驚くほど生活が快適になった。ソニーの有機ELテレビなのだが、画面は綺麗だし、何より反応速度がいい。使えるからといって、古いものを大事に使うことが、ストレスの元になっている場合は、往々にしてある。

24時間営業は時代遅れか

コンビニ24時間営業の是非が話題だ。しかし中期的には意味のない話題だと思う。なぜならサービス業における無人化・省人化の流れは必至だからだ。

アメリカでは無人コンビニ「Ａｍａｚｏｎ Ｇｏ」の実験が続いている。事前登録をしておけば、店内で商品を選んで、後は勝手に店を出るだけ。請求は後から来る。カメラやセンサーなどで行動が監視されているので、レジで会計をする必要がないのだ。「Ａｍａｚｏｎ Ｇｏ」の普及は先でも、無人レジを活用すれば、店員の数は減らすことができる。この前、ノルウェーのスーパーに行ったときも、いくら探してもレジに人がいない。自動のレジで勝手に決済しろということなのだろう（お客の良心を信じているのか、従業員が怠慢だっただけなのかは知らない）。

だが、別に日本のコンビニもこれでいいと思った。コンビニに「従業員の笑顔」や「おもてなし」を求めて行く人は少数派だ。あくまでも、いつでもモノが買える便利さが魅力。無人コンビニはもっと増えてもいい。ただし、盗難の問題があるのと、品出しスタッフは必要なので、完全無人化はまだ先だろう。

その意味で、最近注目されているのが自販機コンビニだ。セブン-イレブンやファミリーマートが提供している大型自動販売機である。飲み物はもちろん、お弁当やサンドウィッチ、デザートなどを購入可能。オフィスや学校、工場で人気だという。

だが、振り返れば、無人コンビニの歴史は長い。1996年にはam/pmが東京・麹町に無人コンビニの1号店を出店した。ガラス張りの陳列棚に並んだ商品の番号を打ち込み、現金を入れると、40秒後に商品を受け取れるという仕組みだった。

しかし爆発的な普及はしなかった。「本物のコンビニ」に敵わずに撤退していったのである。自販機コンビニも同様だ。その後も「本物のコンビニ」は、パフェの販売や公的証明書の発行など、サービスを向上させてきた。

「24時間」が時代遅れのように言われるが、一概には言い切れない。パリでは2018年になって、フランプリというスーパーマーケットが24時間営業の実験店をオープンさせた。また、飲食店の閉店時間が早いヨーロッパの都市でも、一部の交通機関（特にバス）は24時間運行という街は多い。

日本でも、鹿児島の巨大ホームセンター「A-Z」は24時間営業がウリの一つだ。

消費者として考えるならば、不便な街より、便利な街がいいに決まっている。しかし問題は、消費者は多くの場合、労働者でもあること。社会学者の山田昌弘さんは日本において「消費者は天国、労働者は地獄」という。全くその通りで、高すぎる消費者の要求に合わせて、労働者が異様に働かざるを得なかったのだ。

24時間営業は徐々に機械の仕事となっていくだろう。だけどそもそも24時間営業が嫌ならば、コンビニのオーナーになるべきではない。6時間労働でも儲かる北欧風おしゃれ商店でも模索したほうがいいのでは？

（2019・3・28）

感染症対策もあり、すっかりセルフレジは普及した。ただし、終電が早まったり、飲食店に時短営業が求められたり、国全体が「朝型」になりつつある。コロナ収束後もこの傾向は続くかも知れない。なぜなら日本が急激に高齢化しているからである。

「果て」に必要なのは「果てっぽさ」

「端」に少し興味がある。

たとえばポルトガルでは、ユーラシア大陸最西端のロカ岬にきちんと訪問してきたし、ノルウェーのノールカップというヨーロッパ本土最北端「風《ふう》」の場所にも行ったことがある。

今、「風」と書いた。なぜなら本当の最北端は別にあるから。すぐ隣の岬のほうがやや北まで突き出しているし、ハイキングで行けるキナロデンという場所が本当は大陸最北だ。ただしノールカップが最も観光地化されているため、うっかりすると最北端と勘違いしてしまう。

実は日本の「端」も、ここだと断言するのが難しい。

たとえば稚内《わっかない》の宗谷岬《そうやみさき》。つい先日行ってきたのだが、「日本最北端の地」という碑が建てられていた。だが近くにある案内板では「現在、私たちが自由に往来できる日本の領土としては最も北」とすかさずフォロー。宗谷岬を日本の「最北端」と断言してしまうと、北方領土の返還を求める日本にとっては都合が悪いのだ。

さらに宗谷岬の沖合には、素人では行きにくい弁天島という無人島がある。どちらにせよ宗谷岬を「最北端」と断言はしにくい（「稚内駅は日本最北端の鉄道駅」とかなら堂々と自慢できると思うけど）。

「端」を巡る議論には、領土問題まで絡んできてしまうのだ。

「世界の果て」という表現がある。しかし実際には丸い地球で「果て」を探すのは難しい。ロカ岬もそのまま西へ進めばアメリカにたどり着いてしまうし、宗谷岬も少し北へ進めばすぐそこにサハリンがある。

エッセイストの能町みね子さんは『逃北』という本で、稚内を訪れた時のことを書いているが、対岸に見えるサハリンに魅了されたらしい。能町さん曰く「最北に来ると、さらに北へのいざないがあらゆるところにある」。それはあらゆる「果て」に言えると思う。

そこで個人的に大事なのは、「果て」っぽさだ。たとえば最北端「風」に過ぎないノールカップには、中々「果て」っぽさがあった。森林限界を越えているため、高木は見当たらず、荒涼たる風景が広がる。水平線の向こうには空しか見えない。

北緯がイタリアのミラノと同じ宗谷岬は、植生的な「果て」らしさはないが、絶妙な寂れ具合だった。冬に訪れたため、ほとんどの飲食店や土産物屋は休業中。通行止めの場所も多く、一人だったら「こんな場所まで来てしまった」と感慨にふけっていただろう。

他の日本の「果て」にも行こうと思って調べてみたが、これが中々難しいようだ。最南端の沖ノ鳥島、最東端の南鳥島に民間人が行くのは困難。気軽（でもないけど）に行けるのは最西端の与那国島の西崎《いりざき》くらい。

「果て」への旅は中々に険しいが、簡単に行けてしまう場所に「世界の果て」感はゼロである。稚内の宗谷岬も、冬は路線バスの本数も少なく、アクセスが悪い。さらに稚内空港は、強風の日が多く飛行機の就航率も高くない。この不便さが「果て」としては丁度いい。日本最北の水族館、ノシャップ寒流水族館にも行ってきたがここも非常に「果て」っぽかった。

（2019・4・4）

ウィンストン・ブラック『中世ヨーロッパ』によれば、中世の人々も地球が丸いことは知っていたらしい。確かに天体の観測をすれば地球が球体であることを説明するのは簡単だ。月や太陽も丸い形をしているのだから、直感的にも理解しやすかったのだろう。

隔離が生むのは「分断」か「棲み分け」か

アメリカのフロリダで元性犯罪者ばかりが住む町に行ってきた。「とくダネ！」の取材である。

州にもよるがアメリカにはもの凄い法律がある。一度でも性犯罪で有罪になると、刑務所から出た後も一定期間（場合によっては一生）、氏名や住所、顔写真、罪状が公開されてしまうのである。たとえば「Family Watchdog」というウェブサイトに自宅住所を入力すると、グーグルマップが表示されて近隣に住む元性犯罪者の一覧が確認できてしまう。

しかもフロリダの場合、学校や公園の近くに住んではいけないという法律もあり、なかなか「普通の街」で暮らすのが難しい。そこで様々な場所に、元性犯罪者でも住める「町」があるのだ。

僕が「とくダネ！」で訪れたのも、その一つである「パレス・モービル・ホーム・パーク」。12年前にできたコミュニティで、今では85人が住んでいるという。政府や州からの助成はなく、もともとこの土地を所有していた人が元性犯罪者の苦境を知り、始めたプロジェクトだという。トレーラーを改造した家が何棟も設置され、各ユニットでは数人が共同生活を送っている。

住民にも話を聞いた。まずインタビューに応じてくれたのは、庭で陽気に音楽を流していた76歳の男性。若い頃は大病院の救急病棟で働いていたという。彼は児童ポルノ画像をパソコンに5枚所持していた容疑で2年半を刑務所で過ごした。

出所してからの7年間、彼はこの場所に住んでいる。印象的だったのは「ここに住むことで守られていると感じる」という発言だ。ここにいる限り、自分が再び犯罪に手を染める危険も、警察に捕まる可能性も限りなく低い。だからこの場所が「安全」だというのだ。

社会が元犯罪者とどう付き合うかは難しい。刑務所などで罪を償《つぐな》った後は、何ら一般の市民と変わらないという考え方もできる。しかし彼らを「怖い」と思う人々がいることも事実だ。

皮肉なのは、今回話を聞いた男性のように、元犯罪者自身が社会からの隔離を「安全」と思う場合もあるということ。アメリカでは、社会の分断が深刻だと言われるが、それは当事者同士が望んだ結果という面もあるのかも知れない。分断という言葉は悪い文脈でばかり語られるが、棲み分けとも言い換えられる。無理やり共生させられるよりも、分断された社会のほうがいいと考える人もいるだろう。

もっとも「パレス・モービル・ホーム・パーク」は、永遠に住むために設計された場所ではない。住民は仕事を見つけ、貯金をして、ここから出て「普通の街」に戻ることが推奨されている。

76歳の男性も本当は生まれ故郷のボストンに帰りたいと言っていた。だが居住を制限されるエリアがあまりにも多く、「橋」か「森の奥」くらいしか住む場所がないと、自嘲気味に語る。日本も元犯罪者に対して優しい国ではない。未来の日本に同じようなコミュニティができても驚かない。

と、フロリダで真面目に取材をしてきた。何と滞在はたったの20時間である。

（2019・4・11）

ヨーロッパでは性犯罪に関して、薬物療法による化学的去勢が広く実施されている。本人が同意した場合だが、薬で性欲を消してしまうことと、隔離して住まわせることの、どちらが人道的かの判断は難しい。

実は近い「アンチ」と「ファン」

本当に政権が倒れるのは、テレビが首相のことを報じなくなった時だと聞いたことがある。批判報道が盛んなうちは、視聴者がまだ首相に興味がある証拠。しかし政権末期になると、首相が映るだけでチャンネルを変えられてしまう。だから視聴率を下げたくないテレビ局が政治のことを報じなくなる。

テレビ局の友人が言っていたのは、２０１８年のモリカケ騒動の時よりも、２０１５年夏のほうが安倍政権にとってピンチだったのではないかということ。平和安全法制を巡る国会前デモの盛り上がりや、戦後70年談話の発表があった頃、「数字が落ちるから」と、あまり首相の顔を映さないようにしていた番組もあったという。

一方のモリカケ騒動は、ワイドショーを非常に盛り上げた。ここまで国政を揺るがすほどの事件だったかはわからないが、少なくとも視聴者の関心はあった。

日本の未来を考えれば、本当は少子高齢化や社会保障にまつわる議論のほうが大切だと思うが、なぜ人々はモリカケ騒動に夢中になったのか。

関係者のキャラクターの強さに尽きると思う。

籠池夫妻は押しも押されもせぬメディアスターになった。夫が出頭前に歌を詠むと、それに妻が「お父さんカッコイイ！」と応じる。並みのお笑い番組では太刀打ちできない奇妙で異様な笑いが生まれた。森友に比べて加計学園の報道がそれほど盛り上がらなかったのはキャラクターの弱さゆえだろう。

映画やドラマでも同じだ。ヒット作品の主役は、大抵キャラクターが立っている。『ドラゴンボール』の孫悟空でも、『こち亀』の両津勘吉でもいいのだが、彼らの言動には強い動機があり、どんな人物かも明確だ。

芸能人も人気者ほど、ものまねの対象になる。存在がキャラ化されていて、どんな発言をするかが他者からも想像しやすいのだ。

少子高齢化や社会保障問題には、誰もキャラがいない。だからテレビでは扱いにくい。南青山の児童相談所建設をめぐる騒動はそこそこ話題になったが、それは反対派住民の言動が面白かったからだろう。「ネギ一つ買うのも紀ノ国屋」「ランチ単価１６００円」といった発言は、絵に描いたように「感じの悪いセレブ」である。もしも顔を出して過激な反対意見を言う人がいたら、メディアで人気者になっていたかも知れない。

テレビの原理は、基本的に「人」なのだ。いくら良質な企画であっても、うまく「人」がはまらないと注目を浴びない。政治も同じで、内閣支持率は、政策を冷静に分析した結果というよりも、芸能人の好感度調査に近い。だから政権にとって「感じの悪さ」が命取りになるのである。

面白いのは、「アンチ」は容易く「ファン」に転じるということ。一挙一動を注目する「アンチ」の行動は「ファン」と近いのだ。「感じの悪さ」は癖になるのである。安倍首相はわからないが、「とくダネ！」の小倉さんや「モーニングショー」の玉川さんは、それで得をしている気がする。

（2019・4・18）

2020年8月28日に安倍晋三首相が退陣した時、「アンチ」の盛り上がりは大変なものだった（p．266）。思わずアイドルの熱狂的なファンたちが、引退コンサートで半狂乱になる様子を重ねてしまった。

「国民的瞬間」の演出法

4月1日に新元号が「令和」となることが発表された。面白かったのは、事前の徹底した秘密主義である。

世の中への発表よりも先に新元号候補を知ることになる有識者や閣僚は、会議の前に携帯電話が取り上げられた。FNNによれば、首相官邸では物理的に外部との通信を遮断するジャミング（通信妨害）まで実施されていたという。

不満を漏らす政治家もいたようだ。それはそうだろう。日本国を代表する政治家や有識者の集められた会議で、明らかに「あなたのことを信頼していません」という扱いをされるのだから。

しかし結果的に、厳戒態勢は正解だった。なぜなら本来は公表されるべきではない会議の内容が一瞬で漏れたから。

新元号の候補には「令和」以外に「英弘《えいこう》」「久化《きゅうか》」「広至《こうし》」「万和《ばんな》」「万保《ばんぽう》」が挙がっていたこと、有識者会議では9人のうち8人が「令和」推しだったこと、「令和」の考案者は中西進さんだということを複数の報道機関が伝えている。ちなみに他の案の発案者も取材を受けたりしている（誉れなことだから元気でいるうちに自慢しておきたいのだろうか）。

もしも会議に携帯電話の持ち込みを許可していたら、新元号がリークされていてもおかしくなかったと思う。しかし、たった数十分、もしかしたら数時間早く新元号が漏れても何の影響もないように思える。なぜ官邸はここまで秘密主義を徹底したのだろうか。

それは「国民的瞬間」を作り出したかったからだろう。現代の日本列島を生きる人々が一体感を抱く機会というのは非常に少ない。

外国と戦争をしているわけでもないので、全国民が関心のある出来事なんてほとんどない。ＮＨＫ紅白歌合戦や、サッカーのワールドカップでさえ、全員が熱狂するコンテンツではない。

しかし新元号は違った。様々なメディアでは改元に関する特集が組まれ、「平成最後」という言葉が列島中で躍っていた。元号制のない国の人からすれば奇異にも見える光景だろう。「ただ元号が変わるだけで何が起こるんですか」と聞かれても、論理的に回答するのは難しい。

強いて言えば「空気」が変わる。そして散漫に新元号が伝わるよりも、同じ瞬間を「日本中」に知らしめたほうが、その効果は高まる。だから新元号は漏れてはいけなかったのだ。

実際、「日本中」がお祭り騒ぎになっていたように思う。僕の知人で、天皇制に反対する学者は、4月1日は一切のニュースを見ないようにしていたという。しかしその行為自体、すっかり改元のお祭りに巻き込まれてしまっている。あの日、全く新元号に関する会話をしなかった人はどれだけいただろう。もしくは未だに新元号を知らない人はどれだけいるだろう。

今回の新元号発表で生まれた「国民的瞬間」では、久しぶりに「日本」という国が立ち現れた。結果、他のニュースが些末に感じられてしまった。味を占めた政治家が増税の年ごとに改元を画策しないか心配である。

（2019・4・25）

「令和」の名付け親は、中西進さんだと本人が事実上カミングアウトしている。一応は秘密という建前があったはずだが、インタビューでは「令和」に込められた願いなどを易々と話している。まあ、これも令和流ということなのだろう。

ダサい新紙幣に思うこと

2024年に刷新される紙幣のイメージが公開された。これが信じられないほどダサい。フォトジェニックでない肖像画、格好悪いフォント、まぬけなレイアウトなど、無数にケチをつけられるデザインなのだ。

しかも気にくわないのは、それが「勝手に」決められたことである。もちろん違法ではない。これまでも、紙幣の肖像やデザインに関しては、国が「勝手に」決めてきた。それで法的には何の瑕疵もないのだろう。

しかしここでオリンピックの例を思い出してみたい。2020年に東京で開催されるオリンピックでは、大々的にエンブレムの公募が行われた。結果、国を巻き込む炎上騒ぎになったが、それは悪いことばかりでもなかったと思う。

なぜなら炎上は民主主義が可視化される時の一つの形だから。少なくともあの騒動によって、この国の多くの人がエンブレムに興味を持ち、何らかの議論を交わしたはずだ。こうした議論こそが、民主主義の重要な一要素と言える。

新元号はさすがに公募というわけではなかったが、複数の案は民間の専門家から提出され、きちんと有識者会議にも諮られた。ただ、オリンピックに比べるとあまりにも形式的ではある。「有識者」はおじさんばかりで女性は2名しかいなかった。それでも一応は「国民の声を聞きましたよ」という体をとったわけである。

それなのに、新紙幣に関しては、ただ決定事項が国から伝えられた。肖像はそれぞれ一万円札は渋沢栄一、五千円札は津田梅子、千円札は北里柴三郎になるという。彼らが立派な人物であることに疑いはないが、他にも候補はたくさんいる。

そもそも、必ずしも紙幣に肖像が必要というわけでもないだろう。たとえばノルウェーの紙幣は、表面が魚や帆船といった、同国を象徴するイラスト、裏面がモザイクの抽象画である。ユーロ導入前のフランス紙幣には『星の王子さま』の王子があしらわれていた。

日本には見るべき自然の他に、文化財やキャラクターもたくさんある。ピカチュウやドラえもんが候補に挙がってもいいはずだ。さすがにゲームやマンガが新しすぎるというなら、評価の定まっている仏像を採用してもいい。

2020年から発行される新パスポートは表紙こそダサいままである。しかしスタンプが押される査証欄には、ページごとに「富《ふ》嶽《がく》三十六景」からの異なる絵柄が印刷されるという。一応、有識者会議も開かれている。

新元号が発表された瞬間やオリンピックのエンブレムが炎上していた間は、この国に何らかの一体感が生まれていたと思う。その一体感自体が危険で不必要なものだという考え方もあるが、「勝手に」ダサい紙幣を押しつけられるよりはマシだったのではないか。もっと公募でも何でもしたらよかったのに。

否が応でもキャッシュレス化は進んでいくだろう。そんな時代に現金はますます象徴的な意味が強くなる。だからこそ紙幣はもっとスタイリッシュなものであってもいいと思うのだ。ダメ？

（2019・5・2／9）

新紙幣のニュースはそれほど大きく報じられることがなかった。オリンピックに比べて、人々の関心が薄いということなのかも知れない。確かに「現行紙幣の肖像になっている3人。全てフルネームで答えなさい」というクイズの正答率は低そうだ。

第二章　令和は地味な夜明けと共に

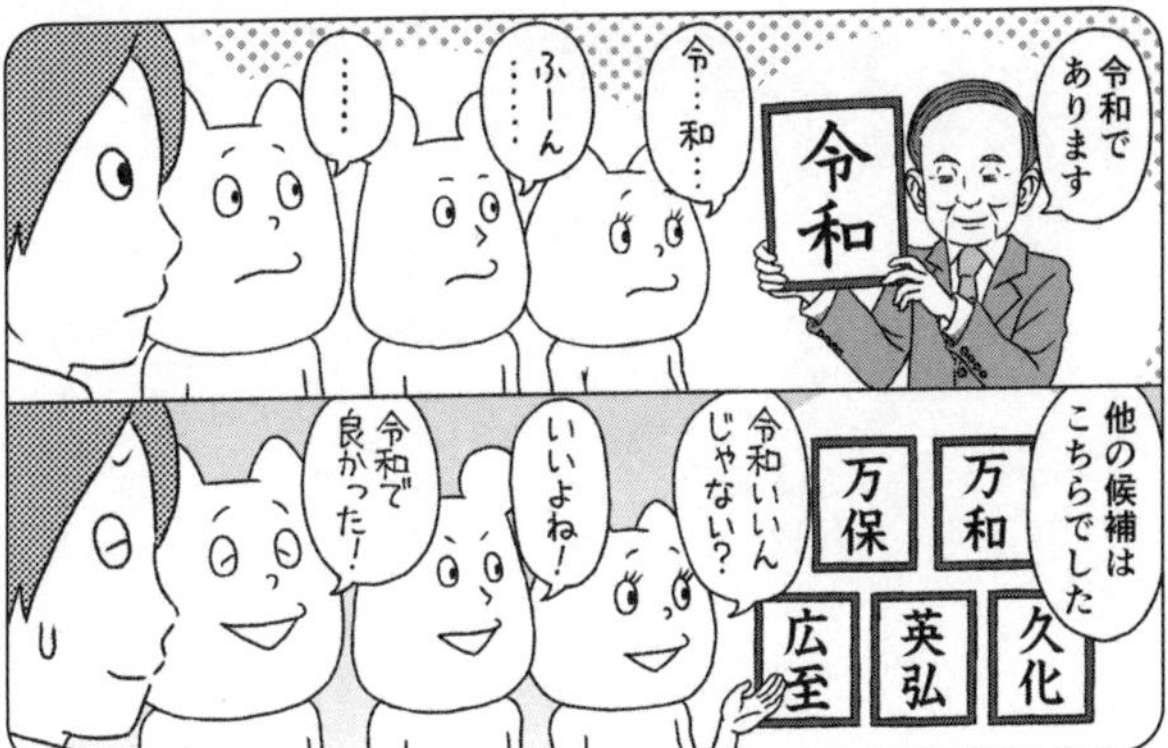

地味な元号またぎの瞬間

令和元年いかがお過ごしでしょうか。

この原稿を書いているのは平成31年4月なので、予想が外れていたら恥ずかしいのだが、平成から令和に変わる元号またぎの瞬間は、そこまで盛り上がらなかったのではないかと思う。

本当は30年ぶりの改元なのだから、毎年訪れる年末年始よりはビッグイベントのはずである。しかしカウントダウンライブのような催しも少なければ、紅白歌合戦のように派手な番組が放送されるわけでもない。要は地味なのである。

理由はいくつか考えられる。まず「さよなら平成」キャンペーンが長く続きすぎたから。平成を振り返る特集は、この1年以上、様々な媒体で組まれてきた。『平成くん、さようなら』という小説が芥川賞候補になったほどである。

そして「令和」発表の瞬間に、改元は一つのピークを迎えてしまった気もする。その日に元号が変わってしまうと信じていた人も多かったようだ。

また4月30日や5月1日には皇室の儀式こそ執り行われるものの、大嘗祭《だいじょうさい》やパレードなど派手な行事の挙行は秋の予定。あんまり「令和くん、こんにちは」という感じでもない。

さらに、譲位による改元というのは現代人にとって初めての経験。そもそもお祝いをしていいのか。その場合、何を祝えばいいのか。日本ローカルの行事であるため、海外でイベントに参加するといったことはできない。もっとも10連休は海外で過ごす人も多いようで航空券は高騰している。

改元は、新年や誕生日のようなイベントと違って、祝福の形式が定まっていない。シャンパンで乾杯とか、ケーキを用意するとか、よくある祝い方を流用するのは簡単だが、本当はもっと改元にふさわしい寿ぎ方がありそうな気もする。

平成最後の日没と令和最初の日の出を見るために富士山にでも行こうかと思ったら夏しか登山できないらしい（そもそも普段から運動嫌いなのだから、気軽に富士山になど行こうとするなと友人から言われた）。タイムカプセルを埋めたり、花火を打ち上げたり、様々な案は練っているが、どうもしっくりこない。実際に僕が何をしたかはあらためて報告したいと思う。

令和元年に合わせたわけではないが、この連載が100回を迎えた。約2年間続いた計算になる。連載をまとめた新潮新書『誰の味方でもありません』も、平成の終わりに出版された。つまり、ついこの間である。

連想ゲームのようになってしまうが、100といえば「百の夜は跳ねて」という新しい小説を書いた。現在発売中の雑誌『新潮』の6月号に掲載されている。高層ビルのガラス清掃員を主人公にした物語だ。

記念すべき改元や連載100回を迎えたエッセイなのに宣伝ばかりになってしまった。慶事や節目というのは商売と相性がいいのだろう。改元の瞬間に何もしなかった人は、お祝いだと思って僕の本を買ってくれてもいい。御利益があるかどうかは知らない。

（2019・5・26）

「令和になった瞬間、何をしていましたか」と聞いたら、もはや覚えている人の方が少ないかも知れない。ちなみにパーティー好きだった僕は、友人と盛大なカウントダウンイベントを挙行した（次ページ参照）。

改元の日の過ごし方

太宰治に『富嶽百景』という小説がある。教科書的な解釈では、富士山を通して太宰の荒んだ心境の回復が描かれた作品だ。物語の冒頭で、太宰は「富士」のことを「のろくさと拡が」る「心細い山」と書いている。要はあまり評価していないのだ。

そんな太宰が井伏鱒二と一緒に三ツ峠に登ることになった。本来峠の頂上では富士山がきれいに見えるはず。しかしその日は濃い霧がかかっていた。仕方なく、彼らは一軒の茶屋に入った。

その茶店を経営する老婆は二人を気の毒がり、店の奥から富士山が写った大きな写真を持って来る。そしてその写真を両手で高く掲示して、「ちょうどこの辺に、このとおりに、こんなに大きく、こんなにはっきり、このとおりに見えます」と懸命に二人にプレゼンをしてくれたのだ。

その様子を見て、太宰はこう記すのである。「私たちは、番茶をすすりながら、その富士を眺めて、笑った。いい富士を見た」と。

さて、『富嶽百景』の冒頭を紹介したのには理由がある。ここで話は、令和が始まった日に遡る。僕は友人と「平成最後の日没」と「令和の初日の出」を見ようと企画していた。

スケジュールは完璧だった。まず平成最後の日には、正装をした上でプロの写真家に記念撮影をお願いする。その後、皇居の見えるレストランで平成の日の入りを眺めながらディナー。マイクロバスをチャーターし、カウントダウンパーティーの後、東京の主要地区で人々の盛り上がりを観察、その後、「日本一早い初日の出スポット」として有名な千葉の犬吠埼《いぬぼうさき》で、令和の夜明けを目撃する。

しかし東京は4月30日から5月1日にかけて雨だった。日没の時間には、本来なら太陽が沈むはずの場所は厚い雲で覆われ、カウントダウンの瞬間も大雨。みんなで濡れながら乾杯をする。

クライマックスは都心から2時間半かけて辿り着いた犬吠埼だ。海は大時化で、太陽は片鱗さえも見えない。雨と風は強く、5月とは思えない寒さである。

そこで取り出したのが「犬吠埼の日の出」写真だ。あらかじめネットのフリー素材を印刷し、額縁に入れておいたのである。本当ならこの場所から太陽が昇るはず。その様子に思いを馳せながら、友人たちと大荒れの太平洋を眺めていた。

海沿いは霧が濃く、ある友人は「イグアスの滝みたい」と表現していた。それが本当なら、アルゼンチンとブラジルにまたがる世界最大の滝のような光景を、千葉で堪能できたことになる。

無邪気に改元に浮かれることには批判の声もある。元号が変わるくらいで本当に新時代が来るわけではない。国民主権の民主主義国家において、天皇の代替わりでこれほど騒ぐ必要があるのかという意見もある。

もちろん、お祭りは怖い。しばしば熱狂は本質を見誤らせる。だけど「怖い」と言って、ただそれをシニカルに眺めるだけの人生はつまらない。国家や天皇制のあり方という難しい話は抜きにして、僕にとってはいい令和の始まりだった。

（2019・5・23）

おそらく僕たちは、日本で最も盛大に改元パーティーを催したグループの一つだったと思う。「ただのパリピとは違うんですよ」ということを言いたいがために、太宰治を参照して知的さを誇示しているエッセイである。

高齢ドライバーの事故リスクにどう対応すべきか

中国の成都へ行ってきた。パンダで有名な街だが、市内だけでも人口1100万人を超える大都市である。

驚いたのは信号の少なさだ。6車線もあるような幹線道路でも、平気で信号がなかったりする。一応、横断歩道らしき目印はあるが、それも非常に簡素なもの。地元の人々は、信号や横断歩道に関係なく、うまく自動車やバイクを避けながら道を渡っていく。

中国の友人に驚きを伝えると「信号なんて信じると余計危ないでしょ」と言われた。いくら歩行者が律儀に信号を守ったところで、自動車が交通ルールを守ってくれるとは限らない。だから信号よりも自分の感覚を信じろということらしい。

一理あると思う。最近の日本では、悲惨な交通事故が報じられることが多い。実際には、交通事故死亡者の数は激減している。列島中が交通戦争の最中にあった1970年は、実に1万6765人が交通事故で命を落とした。その数は2018年には3532人にまで減っている。

しかし殺人を含めた凶悪犯罪が減少し、治安もよくなった現代日本では、相対的に命の価値が上がっている。いくら激減したとはいえ「3532人」という死亡者数は、決して少ない数字には思えないだろう。

ニュースが伝えるのは、何の落ち度もない歩行者が犠牲になった事故だ。きちんと交通法規を守っていた犠牲者に、一切の責任がないのは言うまでもない。

しかしこれからは、そうも言っていられない時代が来る可能性がある。再び交通戦争の時代が訪れることはないだろうが、超高齢社会を迎えた日本では、高齢ドライバーの事故に遭遇するリスクは必然的に高まる（タクシーも高齢ドライバーの運転によくひやっとする）。その場合「こちらが信号を守っているから安全」ということにはならない。

かつて留学していたノルウェーでは、あらゆる場所で歩行者優先が徹底されていた。横断歩道さえない道路でも、歩行者が少しでも道路を渡る素振りを見せれば、車はすぐ止まってくれた。友人曰く「ノルウェー人は海外で交通事故に遭う確率がすごく高い」。普段、恵まれた環境にいる人ほど危険に耐性がない。交通事故に限らず何にでも言える話だと思う。

だけど、信号さえ信じていれば事故に遭わない社会と、信号さえも信じられない弱肉強食の社会、どちらがいいかといえば前者だろう。誰もがぼんやりと生きていける社会は幸福だ。しかし人々が「ぼんやり」できるのは、それだけ社会に強度があるから。

強靱な安定ぶりを誇っていた日本は、少しずつ過去のものになりつつある。だからといって、安定した社会への復古を目指すのは間違いだ。幸いにも現代人たちは、昭和時代にはなかった数々の新技術を手にしている。交通に関していえば、危険な人間の代わりに自動運転技術が普及すれば、部分的な解決策にはなるだろう。

その上で、信号を信じるかどうかは個人の判断。信号制度の無謬性、あなたはどれくらい信じられますか。

（2019・5・30）

2020年は、交通事故死者数が2839人まで減少した。過去最少である。また2021年4月8日は日本全国で、交通事故による死者が1人も発生しなかったという。警察庁が1968年に統計を取り始めてから、初めてのことらしい。

似ている人には厳しくなる

人は自分に後ろめたさがある物事ほど、過剰に他人を批判してしまうのではないか。様々な場面で当てはまる「法則」だと思う。

あなたが嫌いな人を思い浮かべて欲しい。もしくは知人のイラッとする行動でもいい。あなたには、その人と似ている点が一つもないだろうか。むしろ似ているからこそ、嫌だということはないだろうか。

たとえば、白々しいお世辞ばかり言う人にむかつくのは、自分にもそんな瞬間があるから。適当に話を合わせるだけの人が嫌いなのは、時に自分もそうだから。

ダメだとわかっているのに矯正できないネガを、他人に投影してしまうのだ。一方で自分と何の共通点もない人、端から違う世界を生きていると思う人の行動は「そういうものか」と納得しやすい。

NGT48の騒動でも似た光景を目撃した。メンバーの一人（当時）が、ファンからの暴行被害を運営側に「隠蔽」されたとSNSで「告発」した事件だ。彼女と運営側の言い分は大きく食い違っており、事態の全容解明は難しそうである。

ＡＫＢグループ以外を応援するアイドル好きほど、この騒動に手厳しかったように思う。あるアイドルファンはこんなことを言っていた。そもそも握手会という制度がよくない。アイドルとファンは節度を持った距離で付き合うべきだ。今回の事件の根っこには「ＡＫＢ商法」の構造的な闇があるのではないか。

しかし、そこまで言うならアイドルという存在そのものを問題にすべきだろう。日本では未成年を含め、多数のアイドルが活躍し、露出度の高い服で雑誌の表紙を飾ることも珍しくない。

彼女たち（彼ら）は、自分の身体や生活を売り物にしている。アイドルの容姿の美しさや、パフォーマンス、頑張る姿などにファンはお金を払う。その一般的なアイドルビジネスと握手会には、本当に大きな隔たりがあるのだろうか。

握手会でアイドルの手を握ることと、水着で踊るアイドルを双眼鏡で覗くことは全く別の行為だろうか。とてもそうは思えない。

結局、アイドルという存在は、何らかの形で身体を売り物にしないことには成立しない。「実力派」と呼ばれるグループでさえ、ファンが愛でるのはその身体や声だ。ＶＴ uberも、仕草や声など部分的にでも身体を公開したほうが人気になる確率が高まる。

ちなみに僕自身はアイドルに興味を持ったことはないが、握手会を含めて、アイドルビジネスが問題だとは思わない。

なぜなら、それはアイドル本人が決めたことだから。第三者が奴隷労働させているなら話は別だが、その自己決定を他人がとやかく言う権利はない。未成年の場合、問題は少し複雑になるが、それでも何より優先されるのは本人の意思だと思う。

アイドル問題に限らず、似ている人にはみんな厳しい。似たもの同士にしか見えない人々が「自分はそうじゃない」と主張するために、喧嘩する姿を見るのは何だか悲しい。

（２０１９・６・６）

人は自分の中にある後ろ暗さを一番許せないものなのだろう。それはきっと決別が最も難しいからである。

一人で早く行くか、仲間と遠くに行くか

「早く行きたければ一人で、遠くへ行きたいならみんなで」。そんな格言がある。

極端な例はアポロ計画だろう。たった一人で月まで行くのは不可能だ。人類史を振り返っても、我々が月まで行けたのは半世紀前の、たった数年間だけである。

NASAによれば、アポロ計画では最大で40万人が雇用されていたという。それまで人類が積み上げてきた科学技術と、数十万人の協力があって初めて、12人の宇宙飛行士を月に立たせることができた。

しかし大プロジェクトを運営するのは大変である。アポロ計画どころか、町内会の夏祭りでさえ決めごとやら諍いに溢れているはずだ。延々と会議を続けても何も決まらなかったり、メンツを巡ってつまらない喧嘩が発生したり、不倫騒ぎが起きたりと、「みんな」での行動に悩みは尽きない。

一方で、単独での行動は気楽でスピーディだ。自分さえ満足させればいい人生は、それほどストレスもかからない。

だけど誰の助けも借りずに行ける場所には限界がある。夏祭りどころか、十数人を呼ぶホームパーティーでさえ一人で準備するのは難しい。このエッセイも、書いているのは僕一人だが、出版社や印刷所、書店やコンビニなどで働く人々の手がなければ、誰の元にも届かない（と、殊勝なことを言ってみた）。

より遠くを目指す場合、どれだけの規模で「みんな」を巻き込むかという問題がある。たとえばアイドルを例に考えてみよう。

すっかりAKBグループの代名詞となった握手会だが、昔からレコードの販促イベントでは握手が行われていた。名称は「サイン会」や「ファンの集い」だったかも知れないが、当然のようにファンとアイドルは握手をしていたはずだ。

僕も新刊のサイン会をすることがあるし、握手もする（ただし、知らない誰かの手がきれいという確証はないので、おしぼりを近くに置いておく）。

AKBの発明は、握手という一ファンサービスをライブ付きのショーに仕立て上げ、広く一般にも認知させたことだ。この「広く一般」という点が大事である。

実のところ、身体接触を最も巧くお金に換えているのは地下アイドルだろう。彼ら・彼女たちは、握手やチェキでの写真撮影という建前で、ファンと過ごす時間を売っている。このように地下アイドルは少数のファンから多額のお金を得る。しかし「地下」という言葉が示すように、個別のアイドルやグループにインパクトはそれほどない。

比べてＡＫＢグループは、日本中に知れ渡る存在になった。この十数年での経済効果は計り知れない。しかし「みんな」を巻き込むほどにトラブルも増える。それは「みんな」を選んだあらゆるプロジェクトの宿命だ。

一人で気楽に行くのか、それとも仲間と遠くを目指すのか。もちろんいいとこ取りをしてもいい。僕は一人が楽だとは思っているが、すぐに他人に頼るようにしている。そこそこ遠くまで行けるといいなあ。


（2019・6・13）

「握手」はすっかり旧世代の遺物みたいな行為になってしまった。このエッセイの中では「おしぼり」に言及しているが、ただの布おしぼりでは感染症対策としては不十分だ。消毒や除菌には、濃度70％以上95％以下のエタノール使用が推奨されている。

渋谷の寿命の長さに驚く

「カメラは現在、東京・渋谷の様子を映しています。スクランブル交差点には大勢の若者が集まっています」。テレビから流れる、そんなアナウンサーの声を聞いたことはないだろうか。

ワールドカップ、ハロウィン、そして新元号発表や改元の瞬間。何かお祭りごとがあると、テレビは渋谷に出向き、そこに集った「若者」たちの模様を伝える。

なぜ渋谷なのか。地名から推察できる通り、渋谷は谷底の街である。なぜこんな谷底に人々は好き好んで集まるのか。NHKが近いので局員が横着して渋谷でばかり取材をするから、東京にはスクランブル交差点以外に大勢の集まれる適当な広場がないからなど、理由はいくつか考えられる。

しかし真に驚くべきは、渋谷の寿命の長さである。

東京が首都になって以来、次々に「盛り場」は移り変わってきた。上野や浅草の時代があり、戦後には新宿が若者文化（というかアングラ文化）の拠点としてもてはやされた（吉見俊哉『都市のドラマトゥルギー』）。

1960年代後半には、全学連のデモが暴徒化したし、西口地下広場ではフォーク集会が連日のように開催された。マスコミはこぞって新宿を「若者」の街として取り上げる。藤圭子『新宿の女』がヒットしたのもこの頃だ。

1970年代に東京の盛り場は、新宿から渋谷へと移っていく。東急田園都市線や小田急線沿線を中心に「第四山の手」が形成されるのと並行して、パルコや東急ハンズなどが次々にオープンし、渋谷は若者の街へと姿を変えていった。

渋谷風カジュアルファッションに身を包んだ「渋カジ」、音楽のジャンルから発生した「渋谷系」など、次々に渋谷発の文化が生まれていく（難波功士『族の系譜学』）。プリクラなど様々な流行を生み出した「コギャル」が集まったのも渋谷だったし、元祖IT企業も「渋谷ビットバレー」に集った。

それが2000年代になると、文化の中心は六本木や原宿に移ったかに見えた。新興の起業家は「ヒルズ族」と呼ばれ、きゃりーぱみゅぱみゅが背負っていたのも渋谷ではなく原宿だ。

しかし渋谷は死ななかった。むしろその影響力は強まる一方である。改元の瞬間、何もイベントがなかったにもかかわらず、人々はスクランブル交差点に集まった。テレビもその様子を嬉々として放送していた。渋谷ヒカリエ、渋谷ストリーム、渋谷スクランブルスクエアなど、新商業ビルの開業も相次ぐ。

不思議なのは、2019年にもなって特定の場所が、(少なくとも何らかの意味では)「日本の中心」であるように見えることだ。ネットがこれだけ普及した「ユビキタス」時代なのだから(懐かしい言葉ですね)、この世界から「中心」なんて消滅してしまってもおかしくなかった。しかし事態は逆で、人々は熱心に「中心」を探し、そこに集っているように見える。

今回の原稿を書くきっかけは、社会学者の加藤秀俊さんとのおしゃべり。僕たちが話した場所はもちろんセルリアンである。(2019・6・20)

「緊急事態宣言が出たにもかかわらず、大勢の若者で街が溢れています」というような扇情的なメディア報道の際にも、よく渋谷の光景が映し出されていた。

語学力より機械の活用スキル

高校1年生の夏休み、英語の宿題に薄いペーパーバックを渡された。100ページにも満たない、映画『レインマン』のノベライズだったと思う。今から思えば何てことのない難度のはずなのだが、当時の僕は途方に暮れていた。いくら薄いとはいえ、英語だけで本を一冊読み通すなんてできるのかと。

そこで頼ったのがパソコンを使った機械翻訳だ。しかし2000年当時の性能は惨憺《さんたん》たるものだった。苦労して全文をソフトに打ち込んでも意味不明の日本語にしかならない。結局、辞書を片手に自力で英文を読み通すしかなかった。

それから約20年。僕自身の英語力は多少ましになった。一応は留学経験もあり、英語ではあまり困らない。

だけど20年で僕の英語力以上に変わったのは、機械翻訳のクオリティだ。当時は影も形もなかったグーグル翻訳はすさまじい進化を遂げ、世界中の言語を一瞬で翻訳してくれるようになった。僕も海外のニュースを読むときは、まず機械翻訳を使う。それで論旨を把握した上で、意味のわからなかった箇所だけ原文に当たればいい。

ウェブサイトをまるごと訳すのはもちろん、スマホ用のアプリでカメラ機能を起動させて外国語を撮影すれば、瞬時に日本語にしてくれる。海外のレストランのメニューを読むときなど本当に便利だ。

グーグル以上に有能なのが「みらい翻訳」だ。国の研究機関の成果を活用したサービスなのだが、翻訳がとにかく自然。たとえば安倍首相が新天皇即位にあたりスピーチした「国民代表の辞」を例にしてみよう。

原文は「天皇陛下におかれましては、本日、皇位を継承されました。国民を挙げて心からお慶び申し上げます」。みらい翻訳を使って、官邸が公式に発表している英語版の当該箇所を翻訳すると「本日、天皇が即位されました。日本国民は、陛下に心からのお祝いを申し上げます」となる。そのへんの学生に訳されるよりも、よほど正確だ。事実、みらい翻訳の英文和訳は、TOEIC960点レベルらしい。

安田洋祐さんという気さくで超優秀なのに、よくギャグが滑る経済学者がいる。アメリカのプリンストン大学で博士号を取っているだけあって英語は堪能だ。その安田さんもみらい翻訳を活用していた。

こうなってくると、いよいよ英語学習の優先度は下がってくる。もちろん人類にとって、しばらくは対面コミュニケーションが重要だろうから、外国語学習が無用ということではない。

だけど語学の習得にはとにかく時間がかかる。ビジネス誌では定期的に英語特集が組まれるが、機械翻訳の活用法をレクチャーしたほうが実践的だと思う。

ただし実はそれはそれでテクニックがいる。試しにここまでの文章をみらい翻訳で英訳したところ、一部の文章で主語が取り違えられていた。正確な翻訳を期待するなら、主語を明確にして、一文を短くするなど、機械様が読みやすい日本語を書かなければならないのだ。機械様という嫌味な表現などもよくない。

（2019・6・27）

最近では「みらい翻訳」よりも「DeepL翻訳」をよく使う。ドイツ企業の無料翻訳サービスだが、驚くほど精度が高い。もはや機械翻訳相手の日本語は「新しい方言」のようである。

知識よりひらめきが必要な社会

雑誌『Ｗｅｄｇｅ』を読んでいたら、英語教育改革にページが割かれていた。大学入試において、これまでの「読む」「書く」「聞く」に加えて、特に「話す」能力が問われるようになるというのだ。

面白かったのは記事の最後に掲載されていた成毛眞さんのインタビュー。成毛さんによれば、英語が必要な日本人なんてせいぜい1割程度。それも生きた英語を仕事の中で身につければいいと主張する。

正しい意見だと思う。ほとんどの仕事は日本語で事足りるし、英語が必要になっても自動翻訳の手を借りれば何とかなる場合が多い。アメリカで仕事をしていた知人は、対面での会議も全てチャットにしてもらい、ほぼ自動翻訳で乗り切ったと言っていた。

しかし難しいのは、「必要」か「不必要」かでいえば、英語に限らず、もはや教育のほとんどは「不必要」だということだ。ネットとスマホの普及で、記憶力は決定的に「古い能力」になった。

昔はただ知っていることが称賛の対象になったものだが、今ではテレビのクイズ番組でさえ「今夜はナゾトレ」のように、前提知識がなくても瞬間のひらめきで解けるような問題が中心の番組に変わりつつある。ひらめきが重要な脱出ゲームの流行を見ても、これは世界的な趨勢なのだろう。

その意味でいえば、学校で習う多くのことは「不必要」になってしまった。ほとんどの学習内容は人生で役立たない上に、必要なら検索をすれば済む話ばかりだ。

教育論では無視されがちだが、多くの人は学校で習ったことを覚えていない。たとえば植物の維管束《いかんそく》のうち、光合成で作った養分を運ぶ管の名前を覚えていますか？　師管《しかん》と道管《どうかん》のどちらでしょうと二択にされても即答できない人が多いのではないだろうか。台風の定義（中心付近の最大風速は秒速何メートル以上？）、地層の基礎知識（地層ができた環境を知る手がかりとなる化石を何という？）など、中学理科で習ったことを完全に覚えている人はどれくらいいるだろう。

そもそもなぜ忘れるかといえば、使っていないから。一部の専門家を除き、師管と道管を日常語にしている人は少ない。

語学も同じだ。たとえばフィンランドの人は英語が堪能。それは英語が必要だから。

フィンランドのような小国では、英語が使えないと世界のニュースも手に入らないし、最新ゲームもプレイできない。高校くらいから学校の副読本も英語になるという。英語が使えないと暮らせないのだ。

日本では英語談義こそ多いが、多くの議論は真剣さに欠ける。本当に日本の人口が減り、経済が壊滅しだしたら、誰もが自然に英語や中国語を話せるようになるはずだ。それか爆発的に自動翻訳が普及するか。必要に迫られない限り社会は変わらない。英語教育改革の効果は限定的だろう。

ところでつい最近も英語の話題を書いた気がするのだが、国中の記憶力が落ちているはずなので気にしないでおこうと思う。

（2019・7・11）

本文に異存はないのだが（自分で書いたのだから当たり前だ）、こんな時代でも「知識」のある人は聡明そうに見えてしまう。検索もせず、メモも見ずに、固有名詞や数字をペラペラ話せる人を「すごい」と思ってしまうのだ。

民主主義には「ちょうどいい大きさ」がある

デンマークに行ってきた。北欧を訪れるたびに驚くのは、国家としての「小ささ」である。面積ではなく人口の話だ。たとえばノルウェーが約530万人、フィンランドで約550万人、デンマークは約580万人、スウェーデンでも約1025万人といった具合である。

日本と比べると、ノルウェーはちょうど北海道の人口と同じくらい。つまり埼玉県や千葉県よりも少ない。それなのに、世界的な知名度では北欧の国々が圧勝している。

たとえばフィンランドのムーミンやマリメッコのファンは世界中にいるだろうが、埼玉の十万石まんじゅうは「うまい、うますぎる」くせに日本国内でさえ大して知られていない。

名産品以上にびっくりなのは、北欧の小国では独自の憲法や法律がきちんと制定され、国会や裁判所があり、国営放送もあること。フィンランド以外の北欧言語はそっくりだが、国ごとに微妙な差があり、きちんと「ノルウェー語」や「スウェーデン語」として存在している。

日本のような1億人以上の国に住んでいると、思わず「効率が悪すぎる！」と叫びたくなってしまう。歴史的に決して仲の良かった国々ではないが、法律も言語も含めて国家として統一してしまったほうが効率的ではないか。

しかし北欧はそれを選ばなかった。というかフィンランドのロシアからの独立や、ノルウェーのスウェーデンとの連合解消から約1世紀しか経っていない。

結果的に北欧の選んだ道は正しかったのだろう。人口が少ないにもかかわらず、経済的にはもちろん、教育や平等という観点からも非常に豊かな国になった。

もしかしたら民主主義には「ちょうどいい大きさ」があるのかも知れない。数百万人の国だから、全国民が自国の政治を「自分事」として考えられる。高額の税負担や徴兵制にも耐えられる。国としての小ささは不利な要素ばかりではない。

考えてみれば、日本以上のサイズで民主主義国家として成功している国はあるのだろうか。アメリカは連邦制だから「3億の国」とは言えないし、インドは国民を到底把握できていないし、中国は民主主義とはほど遠い管理国家だ。

つまり日本の民主主義が失敗するのは必然なのかも知れない。1億以上の国民が、真剣に日本のことを「自分事」と考えるのは不可能だと思う。年金騒動にしても、みんなどこか他人事だ。

たとえば「国が悪い」と怒っている人がいる。もちろん誰もが政治や官僚の不作為を追及する権利を持っている。しかし「国」と言ったときに、きちんと「自分」も含まれているのだろうか。投票権のない子どもは別として、年長者になればなるほど「国」に対しての責任も生じるはずだ。誰が政治家を選んだのか。誰が世論を盛り上げてきたのか。誰が何もしてこなかったのか。それは「あなた」に他ならないのではないか。

まずは実験的に埼玉県あたりを独立させてもいいのかも知れない。そうすれば世界で十万石まんじゅうが有名になる日が来るのかも。

（2019・7・18）

もしかしたら21世紀中に、大国は自由と民主主義をあきらめてしまうのかも知れない。中国型の「幸福な監視社会」が、あまりにも効率よくパンデミックという有事に対応できた姿を見せられてしまったからだ。

価値をつくるのは共同幻想

コペンハーゲン滞在中の話。僕がデンマークにいることを友人に伝えると「イヤマのトートバッグが欲しい」と言われた。イヤマと言われてすぐにピンと来なかったのだが、どうやらスーパーマーケット「Ｉｒｍａ」のことらしい。デンマークでは一般的なスーパーなのだが、そのグッズが日本で流行しているという。

ホテルの近所にちょうどイヤマがあったので行ってみると、確かにトートバッグが売られていた。値段は６００円ほど。僕の見た限り、観光客とおぼしきアジア人が大量に購入するかを迷っているようだった。

白いキャンバス地の何の変哲もないトートバッグである。中心に女の子の絵柄が刺繍されていて、かわいいといえばかわいい。だがそれが極東の島国で流行とは驚きである。イヤマは日本でいえば東急ストア。東急ストアのグッズ（なんてあるの？）が、海外で人気という話は聞いたことがない。

メルカリなどでイヤマのトートバッグには２０００円以上の値段が付けられている。

高級ブランドもびっくりの日本価格である。

ガムやチョコ、ティッシュなどのイヤマのオリジナル商品も人気らしい。ある海外の旅行サイトでは「日本人がやたらイヤマグッズを買っていく」と語り草になっていた。でも確かに物価の高いデンマークのお土産にはちょうどいい。

日本におけるイヤマの流行発信源の一つは、どうやら糸井重里さんの「ほぼ日」らしい。1990年代、糸井さんはブラックバス釣りを流行させたことがある。それは当時、画期的なことだった。

「魚釣り＝食べるために釣る」という人にとって、まずくて食べられないバスは釣りの対象ではなかった。しかしそれをキャッチアンドリリースと表現することで、バス釣りはお洒落な活動の仲間入りを果たす。言い換えとは魔法なのだ。

結局のところ、価値の大部分は共同幻想である。

みんなが価値を感じるものに、人は価値を見出す。「他人が何と言おうと私はこれが好き」と言える人間は意外と少ない。そして、ほとんど誰も気付いていなかった何かを発見した上で、「これには価値があるんです」と他人を巻き込める人間はもっと少ない。

ニューヨークという地名をウリにした某ブランドがある。数年前、ニューヨークを訪れた時に、せっかくだからと思い、そのブランドの旗艦店を訪れてみた。

ニューヨーク店なのだから当然、素晴らしい品揃えなのだろう。そう期待していたのに、そもそも店舗を見つけるのに苦労した。街外れの冴えないビルに入居していたからである。中もまるで倉庫のよう。しかも、いかにも片手間という感じのスタッフが一人いるだけだった。

おそらくその店舗は、「ニューヨーク」を冠するブランドにとってアリバイのようなものだったのだろう。今では多少事情が変わったのかも知れないが、それ以来そのブランドの服は買っていない。そして誰かがそのブランドを着ているのを見るとニヤニヤしてしまう。（2019・7・25）

要は、やっぱり糸井重里はすごいという話である。

「芥川賞」連敗記

２０１９年7月17日。さっきまで東京を覆っていた重い雲は去って、夕方の神楽坂には雲間から随分と多くの光がこぼれていた。僕は、待ち合わせていた編集者たちと共に新潮社クラブへと向かっている。１９６１年に落成した木造二階建ての施設で、作家が泊まり込んで執筆もできる。開高健など有名作家の幽霊が出るという都市伝説がまことしやかに囁かれているようだ。

この場所を訪れたのは2回目だった。前回は、今はなき『新潮45』という雑誌で、社会学者の濱野智史さんと対談をした。もう7年以上前のことである。

僕が様々なメディアに出始めた頃だった。『絶望の国の幸福な若者たち』という本が話題になり、オールドメディアに「若者代表」のような立ち位置で呼ばれることが増えていたのだ。濱野さんとは「テクノロジーへの希望と絶望」というテーマで話したのだが、読み返してみると「ミクシィ」や「スイーツ（笑）」など固有名詞の懐かしさにクラクラする。しかし内容自体は、それほど古びているようには思えない。すっかり色褪せた『新潮45』を読みながら、僕自身の関心も、実は大きく変わっていないことに気付かされた。

　今回、僕が再び新潮社クラブを訪問した目的は、芥川賞の選考結果を待つためである。「待ち会」と呼ばれたりもするが、賞の結果は著者に電話で伝えられる。だから一人で待ってもいいのだが、今回は執筆に伴走してくれた編集者たちと一緒にいることにした。選考会は16時から始まるので、だいたい18時くらいに電話がかかってくるはずだ。

　候補作になった『百の夜は跳ねて』は、タワーマンションや高層ビルのガラスを磨く清掃員の物語である。主人公は有名大学出身なのだが、就活に失敗して、不本意ながら現在の仕事に就く。

　いくつかの書評でも指摘されていたが『平成くん、さようなら』と対極をなす作品である。「平成くん」の主人公は虎ノ門のタワーマンションに暮らす富裕層の若者。一方の「百の夜」は、タワーマンションを外側から清掃する肉体労働者でワンルームアパートに暮らす。

　どちらも改元前後の東京を舞台にしているが、彼らの生活はまるで違う。僕自身の生活スタイルはどちらかといえば「平成くん」寄りだ。だけど「百の夜」の世界に共感できないかというと、そんなことは全くない。

「百の夜」を書きながら、何度か思い出したのは『絶望の国の幸福な若者たち』のあとがきだった。

書けてよかった

そこで僕は、ここにいなかった「僕」に思いを巡らせている。世界には無数の転轍機《てんてつき》があり、僕たちの人生は何気ないきっかけでまるで別のものになってしまう。今よりも幸せな場所にいる「僕」には羨望《せんぼう》を抱くが、今よりも幸せではない「僕」には後ろめたさを覚える。そんな内容である。

「百の夜」の執筆中には、違う世界にいる「僕」のことを考えていた。もしも違う大学に入学していたら。もしも大学院に進んでいなかったら。もしも本を出版できていなかったら。

その人生がどうだったかは想像するしかない。その想像を、『絶望の国の幸福な若者たち』ではこの世界の同時代にいる「誰か」に置き換えた。違う世界では僕が引き受けるべきだった役割を、この世界で引き受けることになった「誰か」を想像しながら本を書いた。

だけど社会学の本と違って小説ならば、本当に別の世界のことも書ける。そして冷徹に現実を観察するだけではなく、たとえそれがフィクションであっても、何らかの救いを提示してもいい。

「百の夜」は、死んだように生きていた主人公が、タワーマンションに住む老婆とガラス越しに目を合わせるところから物語が動き出す。老婆もまた人生をあきらめていた。夫には先立たれ、子どもとも疎遠。高層階からの景色を「俗で、下品」と考え、いつも部屋のカーテンを閉めたままでいる。

そんな彼らが出会うことで何が起こるのか。意識したのは太宰治の『富嶽百景』だ。太宰が他者との交流により富士山の価値を見直していくように、「百の夜」の登場人物たちも、この世界は捨てたものではない、と思っていく。

「思っていく」というか、「思って欲しかった」。途中からは、登場人物を応援するような気持ちで小説を書いていた。あらかじめラストシーンが決まっていた「平成くん」と違って、「百の夜」は最後まで手探りの中で物語を進めていった。

この小説を書けてよかったと思う。何百万の生活があるはずなのに、人の気配が一切感じられないような都会のビル群が昔から好きだった。主人公が出会うことになった老婆は、僕にとって大切な実在の人物から、大きな着想を得ている。

小説を書かなければ、ビル群のことや、彼女のことを文章に残すことはなかっただろう。毎週の『週刊新潮』のエッセイで、いきなり「老婆」の話をされても、読者は困惑してしまうはずだ。僕にとっての小説とは、ただ過ぎていくはずだった人々や出来事の記録でもある。主人公は都会の窓を「盗撮」していくことが、世界に意味を見出すきっかけになるのだが、まさにそれは僕自身にとって「百の夜」を書くことだった。

選考結果を伝える電話は18時過ぎにあった。どうだったかは既報の通りである。もしかしたら違う世界線もあったのかも知れない。その世界を生きる僕は、この世界で生きる僕よりも幸せになるのだろうか。それとも不幸になってしまうのだろうか。その答えは一生わからない。

新潮社クラブを出たのは22時前だった。僕たちは、この世界におけるこれからのことを話していた。神楽坂はしっかりとした暗闇に包まれていて、表通りを行き来する車のランプだけがやけに眩しい。編集者と共に光のほうを目指す。クラブの管理人Yさんは夜道に出てきて、僕たちがすっかり見えなくなるまで手を振ってくれていた。僕は勝手に彼女を『富嶽百景』に出てくる茶店の老婆に重ねてしまう。
　こっち側の世界も悪くないなと思った。

（2019・8・1）

「世界線」という考え方が好きだ。パラレルワールドと同義で使われることが多いが、あり得たかも知れない世界は無数に存在する。そのどちらが幸せだったのかは、僕たちは決して確かめることができない。だからこそ、何とか「この」世界を愛そうとする。それにしても、まるで受賞できたような書きぶりである。

未来を占うには知識が必要

占いは容易く未来を語る。毎朝のテレビ番組の占いコーナーは今日の運勢を示し、雑誌の占い特集は半年や1年の運気を予想し、街角の占い師に至っては誰かの一生分の人生を指し示すことさえある。

占い師たちは誕生日や星座、手相などを元にして人々の未来を語ろうとしてきた。信じるか信じないかは人それぞれ。ＮＨＫの「『日本人の意識』調査」によれば、占いを信じる人の割合は「神」や「仏」などに比べれば低い。それでもテレビや雑誌で人気のコーナーなのは一定の需要があるからだろう。

少なくない経営者や政治家、芸能人も占いに頼っている。不確定な未来を相手に仕事をしていかなくてはならない彼らが、占いに頼る心情は理解できる。

しかし未来を語るのは、占い師だけの専売特許ではない。この世で、最も正確な未来予測をしているのは物理学者だろう。たとえば高さ１００メートルのビルの屋上から鉛の球体を自由落下させた場合、何秒後に地上に到達するか。空気抵抗を考えるかどうかで答えは変わるが、公式に当てはめれば簡単に「未来」を知ることができる。

物理学者ほど未来予想が得意な人々もいない。彼らははるか未来の太陽系の惑星の配列でさえも言い当てられる（ただし「ラプラスの悪魔」の議論で有名なように、いくら研究が進んでも宇宙中すべての未来を把握することはできないのだろう）。

物理学以外の様々な学問にも、しばしば未来予測が期待されてきた。たとえば経済学者にはこれからの景気を予測して欲しいし、政治学者には政局の今後を占って欲しい。

だが数十億の人間が織りなす社会の未来を正確に予測するのは非常に難しい。鉛の自由落下と違って、物理法則を適用すれば済む話ではないからだ。実際、多くの未来予測は外れてきた。もし全ての予想が当たっていれば、日本はすでに数十回、資本主義も数百回は崩壊しているはずだ。

社会科学の中で最も未来予測が得意なのは人口学である。

なぜなら人口は急に増えたり減ったりしないから。国単位で見た時に、現役世代が多く高齢者が少ない時期ほど経済成長が起こりやすいことがわかっているから、未来を占う際には、人口は非常に重要だ。

僕たちは日常の中でも未来を予測している。たとえば朝の駅前。制服を着た子どもたちがある方向に向かっている姿を目撃したとしよう。それを通学中の光景だと理解し、彼らが学校に向かっていると想像するのは容易い。しかし「朝、生徒は制服を着て学校へ通学する」という知識がない人には、同じ様子を見ても同じ想像はできないだろう。つまり未来予測のある程度は知識に依存しているのだ。

もし本当に未来に興味があるならば、テレビの星座占いに一喜一憂するよりも、より多くの知識を蓄えたほうがいい。そうは言っても、手軽に未来を示唆してくれる占いは魅力的だ。このエッセイを読んでくれたあなたには今週、幸せなことばかり起こるでしょう（適当）。

（2019・8・15／22）

「ラプラスの悪魔」とは、未来までを見通せる全知全能の神のような存在のこと。量子力学では否定されたが、「ＡＩ」や「ビッグデータ」に期待をかける人々もいる。過剰なまでにＡＩを信仰する人は、中世の神学者と似ている。

長岡花火で戦争について考えた

新潟の「長岡まつり大花火大会」へ行ってきた。日本三大花火の一つだ。実は長岡花火を訪れるのは2回目。前回もその規模に驚かされた記憶がある。しかしその後に沖縄で開催された、安室ちゃんの曲に合わせた花火ショーと比べて、テレビで長岡花火をディスってしまった。それが炎上。

長岡花火財団に怒られるかと思ったら「花火は炎上させるものではなく、打ち上げるもの。また来て下さい」と大人の対応をしてもらった。というわけで、今年は新潟放送の番組「水曜見ナイト」ゲストとして花火大会を観てきた。一見しっかり者の伊勢みずほさんと、顔が真っ黒に日焼けした一見チャラそうな男性アナウンサーらで進行する地元の人気番組らしい。

呼んでもらったからには、ちょっと真面目に長岡花火のことを考えてみる。花火大会の歴史は古く、１８７９年に遡る。遊郭関係者がお金を出し合い、３５０発の花火を打ち上げたのが始まりだという。しかし１９３８年に、戦争で中止。１９４７年から、長岡空襲の慰霊の祈りを込めて復活した。新潟県中越地震を受けて、2005年からは復興祈願花火も打ち上げられ、慰霊と復興が大会の一つのテーマとなっている。

かつて『誰も戦争を教えられない』という本の取材で世界の戦争博物館を巡ったことがあるが、日本は積極的には戦争被害を後世に残そうとしてこなかった国だ。広島の原爆ドームなどを例外として、多くの街で戦争の痕跡は開発の波に飲まれてしまった。

戦後すぐは経験者が大勢いたから、戦争の記憶は自然に継承された。しかしどんどん経験者は減っていく。

そこで慌てて日本中に建てられたのが戦争博物館だ。だが箱物には限界がある。経験者の声や、原爆ドームなどの「本物」に比べて、迫力不足は否めない。

戦争の記憶を花火で残すのは一つの方法だと思った。いくら上から目線で「戦争を忘れるな」と言っても、古くなる一方の出来事を、いつまでも生々しく覚えていることなど不可能だ。

だが花火大会となれば話は別である。これだけCGやらVRやらが当たり前になった時代でも、とんでもない音と光で夜が輝く花火は世界中で人気だ。その中でも長岡花火は規模も大きく自然と人が集まる。集客に苦労している日本中の戦争博物館とは対照的だ。あくまでも自然に誰もが慰霊のイベントに参加し、戦争を想起するのだ。

もしかしたら日本で最も人が集まる慰霊祭かも知れない。

花火大会の時期は人口約27万人の街に、二日間で１００万人以上が訪れる。夕方、新幹線で長岡駅に着くと改札口は長蛇の列。駅の外に出るだけでも10分近くかかってしまった。本当は宿泊もしたかったがホテルは一杯。新幹線も最終便はすぐに満席になってしまい、何本か前の便で帰らざるを得なかった。ホテルはともかくとして、この日くらいは新幹線も増発したらいいのにと思う。気が利かない。

打ち上がったら消える花火。遺恨ではなく、その美しさとはかなさが記憶に残る。

（２０１９・８・27）

２０２０年は花火大会が中止となってしまった。代わりに、打ち上げ場所を非公開とした単発の花火が打ち上げられた。２０２１年も中止が発表されている。

瀧本哲史さんにお願いしたいこと

瀧本哲史さんの訃報を聞いた。寝耳に水だった。数年前、大きな病気を患ったことは知っていたが、すでに治ったと聞いていたから。あまりプライベートを明かさない人だったが、幸せな家庭生活を送っていると聞いていたから。

瀧本哲史さんは、京大で教鞭を執りながら投資家やコンサルタントとしても有名だ。『僕は君たちに武器を配りたい』などのベストセラー書籍を何冊も発表してきた。東大法学部を卒業後、すぐに助手に採用されたというエリート中のエリートである。僕の知る中で、最も博識な知識人の一人だ。

NHKの討論番組で一緒になった時のことを思い出す。収録後、局から出る時に瀧本さんは何冊かハードカバーの本を抱えていた。どんな本を読むのかと興味があったので、こっそりとタイトルをチェックしてみると、フィンランドの高等教育についての専門書だった。何と番組で急遽加わった論点に関する本なのだ。

驚いた。だって、瀧本さんくらい博識であれば、別に新たに勉強などしなくても、これまでの知識から議論に参加できるに決まっているからだ。そして、気付いた。「博識」とは、こういうことなのだ、と。

つい最近も、投資先にベトナム企業があり、ベトナム語を勉強していると聞いた。瀧本さんとは、学び続ける人なのだ。

僕が初めて瀧本さんと会ったのはもう十年以上前だ。知人のベンチャー企業の取締役をしていて、その忘年会か何かだったと思う。正直、頻繁に会う関係ではなかった。だけどその分、彼と会った全ての日を覚えている。一緒にＳＥＫＡＩ　ＮＯ　ＯＷＡＲＩのライブに行ったこと、東大でばったり出くわしたこと、人狼をしたこと、パーティー嫌いといいながらよく誕生日会には来てくれたこと。

でも一番多かったのは、僕からの相談事だ。

女子中学生の犯罪を「尾崎豊みたいで格好いい」と言って炎上した時、小沢一郎に再婚相手が見つかったかと聞いて炎上した時、瀧本さんはいつも的確なアドバイスをくれた。今週もちょうど相談があり、連絡をしようと思っていたところだった。

振り返ってもどうでもいい炎上の相談ばかりで「瀧本哲史の無駄遣い」だった気もしてくるが、彼はいつも仲間の話に耳を傾けてくれた。ＮＨＫの「ＮＥＷＳ　ＷＥＢ」で共演した橋本奈穂子さんが海外に行く時も、番組スタッフが政治家を目指す時も、いつでも的確なアドバイスをくれた。優しくて、熱い人だった。逆に、こちらが瀧本さんに対してできたことは、ほとんど何もない。

瀧本さんには「ご冥福をお祈りします」なんて言葉は似合わない。だって、瀧本さんが残した本はこれからも若者に影響を与え続けるだろうし、彼の教え子たちの活躍は続くだろうから。「瀧本さんがこう言っていた」「瀧本さんならこう思うはず」。そんな風に、瀧本さんにはまだしばらく活躍してもらわないとならない。

瀧本さん、勝手だけど、これからもみんなをよろしくお願いします。

（2019・9・5）

2020年には新刊『2020年6月30日にまたここで会おう』（星海社新書）が発売された。2012年に開催された「伝説の東大講義」を書籍化したものだ。「変えるって、本気でやる気になれば、意外にできるんです」というメッセージはまるで古びていない。伊藤健太郎さんも読んだとか。

なかなか時代劇にならない「サザエさん」

アニメ「サザエさん」でマスオさんの声優だった増岡弘さんが引退した。「サザエさん」は今年で放送50周年を迎える長寿番組。サザエさん一家の中で同じ役柄を演じ続けている声優は、サザエさん役の加藤みどりさん、タラちゃん役の貴家堂子《さすがたかこ》さんの二人しかいない。

50周年とはただ事ではない。原作の新聞連載は1946年から始まっているから、それから数えると実に70年以上が経つ。

一応「サザエさん」は「現代」の物語である。少なくとも新聞連載時は、敗戦後から高度成長期までの同時代の東京が舞台だった。

しかし今や、都心で磯野家のように7人、3世代が住む家族は多くないだろう。夕飯時に家族がそろってちゃぶ台を囲むという光景も珍しくなった。

アニメでは、携帯電話や薄型テレビが描かれることもあるが、磯野家の人々が普段使うのは黒電話にやたら本体がでかい（画面は小さい）ブラウン管テレビ。彼らの日常はおそらく1970年頃で止まっている。基本は半世紀前の世界に、ほんの少しだけ現代が入り込むという世にも奇妙な異次元の物語になりつつあるのだ。

だが興味深いのは「サザエさん」には古いところがあるとはいえ、決して時代劇にはなっていないこと。大河ドラマが描くような江戸時代や、明治時代の物語とは違う。

それは作中で描かれる世界が、現代と地続きだからだろう。言い換えれば、この数十年間で日本社会が劇的には変わらなかったことを示してもいる。

戦後社会は、情報環境だけを見れば大きな変化を遂げた。テレビが珍しかった時代の人々からすれば、スマホで動画を楽しむ我々は未来人に見えるだろう。

しかし家族構造はどうか。確かに「サザエさん」のような3世代同居は減ったとはいえ、今でも1割程度は存在する。サザエとマスオの専業主婦、正社員というカップルも、決して過去の遺物ではない。サザエさんは24歳の設定だが、彼女と同世代で育児をしている女性の有業率は最近でも45・9％に留まる（「就業構造基本調査」2017年）。

「ドラえもん」や「クレヨンしんちゃん」も「現代」の物語だ。まれに母親が専業主婦という設定が批判されることもあるが、違和感なく受容されている。

作品の連載開始はそれぞれ1969年と1990年である。50年前と約30年前だ。

もし１９７０年の人が１９２０年（50年前）や１９４０年（30年前）の物語を読んだら、決定的に「古い」と感じただろう。戦争前と高度成長後の日本では、社会のあり方も価値観も決定的に違う。１９００年（70年前）に至っては言わずもがなである。

それに比べると戦後の変化は緩慢だった。特に高度成長が達成された１９７０年以降の社会は、揺らいでいるとはいえ、抜本的な改革はまだだ。大企業は力を持っているし、正社員と専業主婦に憧れる若者は多い。

「サザエさん」が時代劇になる時に初めて、本当の意味で日本社会は変わったと言えるのだと思う。

（２０１９・９・12）

スタイリストの祐真朋樹さんが「サザエさん」を息子と観ていて、「それまでの人生で得たことのない安心感と幸福感に包まれた」と雑誌に書いていた（『ＵＯＭＯ』２０２１年6月号）。「サザエさん」ってすごいなと感嘆とした一方、祐真さん、大丈夫かなと心配になってしまった。

象徴の街ワシントン

ワシントンD.C.へ行ってきた。アメリカの首都である。ホワイトハウスやFBIなど政治・行政機能が集中し、スミソニアン博物館をはじめとした多くの巨大ミュージアムを抱える文化都市でもある。

しかしニューヨークやロンドンに比べると、訪問歴のある人は少ないと思う。経済都市ではないし、娯楽の数も多くはない。ちなみに脱出ゲームもあまりない上に、レベルも低かった。

初めてD.C.へ行ったのは3年前。第一印象は「怖い街」だった。

建物のスケールがとにかく大きいが、人通りが多いわけではない。街は碁盤の目のように整然と設計されており、その分あまり「人間臭さ」を感じない。

要は、巨大な霞が関のようなものなのだ。霞が関に泊まって興奮できる観光客が少ないように、あまりバカンス向きの場所ではない。

街の中心には、リンカーン記念堂、ワシントン記念塔という二つのメモリアルが建てられていて、その直線上に連邦議会議事堂がある。

特に巨大なリンカーン像は大仏のようだと思った。1776年に独立した人工国家であるアメリカは、日本のような創世神話を持たない。そのため建国者や偉大な大統領たちを、ある種の神として讃える必要があったのだろう。

この街は死の気配をも隠そうとしない。リンカーン記念堂から橋を渡ってすぐの場所にアーリントン国立墓地がある。253ヘクタールの巨大な敷地の墓地にはアメリカのために命を落とした人々が眠る。

ワシントン記念塔のそばにも第二次世界大戦の記念碑が建てられている。戦争経験者が減っていくことが問題視された1980年代に建設が発案され、2004年に一般公開された。白亜の噴水は、大きな存在感を放っている（放ちすぎて景観を害しているという論争まで起こったくらいだ）。

人間のために作られた街ではなく、アメリカという国家を象徴的に表現するために創設された場所。それがD.C.だと思った。だから、アムトラックという電車で移動したニューヨークがとにかく楽しかったことを覚えている。

ちなみにD.C.からニューヨークまでは飛行機で1時間、車や電車でも3〜4時間あれば行けてしまう。

その時は一人旅だったが、今回は友人を訪ねたこともあり、違うD.C.の姿を知ることができた。幽霊が出ると噂の豪邸エバーメイに招かれたり、アメリカで大成功している「San-J」というメーカーのグルテンフリー醤油のことを勉強したり、滞在期間中は意外と充実していた。

小さな話もたくさん聞いた。たとえば連邦議会議事堂には星条旗が掲揚されているのだが、中国製ということが問題になり、アメリカ製の旗に切り替わったとか。キング牧師の記念碑が建てられたのだが、花崗岩の像であるため見た目が「真っ白」で議論になったとか。

どんなに無機的に見える場所であっても、人々が暮らしている限りにおいて「人間臭さ」が消えることはないのだ。


（2019・9・19）

2021年1月20日のバイデン新大統領の就任式前後、ワシントンD.C.は厳戒態勢に包まれていた。特にトランプ前大統領の支持者が議事堂に侵入した際には、夜間外出禁止令までが発動される有様だった。

平和記念資料館リニューアルに思うこと

広島平和記念資料館へ行ってきた。開館は1955年だが、3度目の大改修工事が実施され、今年の春にリニューアルオープンした。

かつて僕は世界の戦争博物館巡りを趣味にしていた。改修前にも何度か訪れているが、その時の印象は「真面目」な「普通」の博物館。世界の戦争博物館が現代アートや最新テクノロジーを駆使しているのに対して、平和記念資料館は実直に原爆の悲惨さや、原爆投下に至るまでの歴史的経緯を描く施設だった。

それが満を持してのリニューアルである。年間150万人以上が訪れる施設はどう変貌を遂げたのか。

一言でいうと「言葉少な」なミュージアムになっていた。暗い館内には、多くの写真や絵画、展示物が並べられている。救護所の悲惨な様子や皮膚の焼けただれた少女の姿を切り取った写真、命を奪われた子どもたちの服。

再現映像やミニチュア模型、マネキンなどの「偽物」を極力排除し、「本物」ばかりが集められた資料館に生まれ変わっていた。

実はマネキンに関しては一悶着があった。かつてこの資料館の目玉の一つが、焼けただれた皮膚と、ボロボロの衣服で炎の中をさまよう3体のマネキン像だった。見覚えがある人も多いのではないか。

しかし広島市は、人形よりも実物展示が重要と考えマネキンの撤去を決める。インターネット上では反対運動まで起こったが、決定は覆らなかったようだ。

新しくなった資料館では、「名前」と「人の歴史」が強調されていた。ただ遺品を展示するのではなく、持ち主と原爆被害に遭うまでの人生が説明される。その意味で、感情移入しやすい資料館になったと思う。確かにマネキンなしでも、十分に原爆の悲惨さは伝わってきた。

一方で、肝心な歴史に関して、新資料館は非常に「言葉少な」である。

誰がこれほど悲惨な戦争を引き起こしたのか。それはどうしてで、誰が悪いのか。そうした歴史的経緯をこの資料館で知ることはできない。わかるのは1945年8月6日、とにかく悲惨な出来事が起こったということだけである。

まるで天災のように戦争が語られるのだ。天災には敵も味方もない。この資料館は無国籍的だ。

その無国籍性は、原爆死没者慰霊碑に刻まれた「過ちは繰返しませぬから」という言葉にも通じる。そのような態度を「日本は戦争加害者でもあったはずで、その自覚が足りない」と批判することもできる。

一方で、現代の広島が必ずしも国家の歴史を背負う必要はないのかも知れない。2019年の広島市と、1945年の大日本帝国では、立場や思想がまるで違う。

この地には、オバマ前大統領をはじめとして、世界中から「核兵器なき世界」を願う人々が訪れる。本当は広島でスピーチをする暇があるなら自国の核を放棄しろという話だが現実はそう簡単ではない。広島という地では、国家や歴史などの複雑な現実から切り離されている面があるから、希望も語りやすいのだろう。

（2019・9・26）

おりづるタワーという観光施設がある。一見するとただのビルなのだが、開放的な展望スペースからは、原爆ドームや平和記念公園をはじめとした広島の街を見渡せる。平和に思いを馳せるという意味では、薄暗い博物館よりもずっと有意義な時間を過ごせるのではないか。

「お天道様」に代わる監視社会

かつて「お天道様が見ている」という言葉があった。たとえ他人の目がなくても、太陽だけはあなたを見逃さない、だから常に良く振る舞えといった意味だろう。

今は「監視カメラが見ている」、もしくは「スマホが見ている」だ。

たとえば2018年、ハロウィンに浮かれる渋谷で若者たちが軽トラックを横転させる事件があった。15人の男を特定、うち4人が逮捕されたが、その決め手になったのは防犯カメラやスマホだった。映像をリレー方式で追跡、Suicaの乗車履歴などを組み合わせて犯人を探したと言われている。

殺人でもない事件に、なぜ警察がそこまで総力を挙げるのかは不明だが、「お天道様」の出ていない夜であっても、カメラやスマホは見ているのだ。

国家が市民を過剰に監視するのはいかがなものかという議論がある。かつてはオービス（速度違反自動取締装置）を導入するだけでも大反対が起こったものだ。住基ネットも国民総背番号制だと批判された。しかし最近、そうした意見をあまり聞かない。恐らく実利のほうが大きいからだ。

これまでなら闇に葬られてきた事件、被害者が泣き寝入りしていた出来事の証拠も残しやすくなった。ある政治家の「このハゲー！」という暴言が白日の下に晒されたのも、スマホやボイスレコーダーの普及があったから。昔からあったはずのあおり運転が、ここまで社会的に話題になったのもドライブレコーダーの存在が大きい。

監視社会は犯罪の抑止や捜査に有益である以上に、人々を優しくしている。

我々は画面だけで監視されているわけではない。トリップアドバイザーなどの旅行口コミサイトの流行によって、世界のホテルは一見の客に変な対応ができなくなった。たった一つのレビューがホテルの人気を地に落とすこともあるからだ。Ｕｂｅｒなど配車アプリも同じで、運転手や客は相互評価を気にして、良き人として振る舞おうとする。もはや完全に「お天道様」だ。

興味深いのは、監視社会の進展によって、市民だけではなく、国家や権力も監視されているという点だ。たとえば大規模デモなどで、警察が参加者を過剰に制止している動画があれば、すぐにネットは炎上してしまう。実際に香港のデモでは、多数の映像によって「香港警察はひどい」という印象が形成された。

しかし今でも日本には、何とか監視の目を逃れている領域がある。

２０１９年から裁判員裁判が対象の事件などの取り調べ可視化が義務づけられたが、割合でいえば全刑事事件の２％から３％に過ぎないという。これほど安価で簡単に記録ができる時代に不可解だ。

また裁判に至っては冒頭しかカメラが入れない。公開が原則のはずなのに撮影も録音も制限されている。拘置施設や刑務所でも接見中に被収容者の撮影は許可されていない。監視が当たり前になった社会では、記録が制限されているだけで「何かやましいことがある」と勘ぐられても仕方がない。

（２０１９・10・３）

完全なる監視社会には道半ばの日本では、自粛警察といった相互監視の文化も根強い。ただし新型コロナウィルスの流行下では、世界中でルール違反者を通報するといった事例が発生しているので、それは日本特有の現象とは言えなさそうだ。

「にわか」を許さない業界は滅びる

「ドラゴンクエストウォーク」というスマホゲームが人気だ。配信から1週間で500万ダウンロードを記録したという。

「ポケモンGO」と同じく位置情報を活用したゲームだ。現実と連動したドラクエ風の地図上に目的地を設定し、実際に歩くことで物語は進んでいく。その途中でモンスターを倒してレベルを上げげたり、新しくスキルを覚えたりと、きちんと「ドラクエ」らしいゲームだ。

僕は配信開始以来、毎日のように遊んでいるのだが、何だか「ポケGO」のリリース時と雰囲気がだいぶ違うように感じる。

2016年夏に「ポケGO」が始まった時は、プレイしていないことが恥ずかしい空気があったように思う。ブームに乗り遅れるなと多くの人がゲームを始め、各メディアも特集を組んだ。

しかし「ドラクエウォーク」はそこまでの大騒ぎになっていない。というか正直、僕の場合はプレイしていることを告白するのさえ気が引ける。何だかマニアックな趣味を開陳しているような気分になるからだ。

本当は一気に５００万ダウンロードを達成したゲームなのだからマニアックな訳がない。しかも夏には「ドラクエ」のＣＧ映画が公開されたばかりだ。それくらいの国民的コンテンツなのである。

勝手な偏見なのだが、「ドラクエ」には初心者が参入しにくいムードがある。第１作から数えれば30年以上の歴史があり、思い入れの強いファンが大勢いる。

実際「ドラクエ」の映画も大炎上していた。一部のファンからすれば、納得できないエピソードが挿入されていたのだ。僕は楽しく観たが、古くからのファンでもない人間が熱烈に映画を擁護するのも気が引ける。「触らぬドラクエに祟りなし」である。

一方の「ポケＧＯ」は、どんな初心者も歓迎するという雰囲気に満ちあふれたゲームだった。ポケモンの捕まえ方は非常に簡単。ゲーム上ではボールを投げるだけだ。実際には指を上に動かすだけでいい。開発陣の中でも賛否両論だったらしい。本当にこんな簡単なゲームでいいのか、と。

本来はポケモンにも20年以上の歴史があり、モンスターの進化方法や、属性による相性など覚えるべきことは少なくない。アニメも長く放送されていて、きちんとした世界観もある。

だけど「ポケGO」は、そんなことを知らない初心者にも愛されて、世界で10億ダウンロードを超えるお化け作品になった。

にわかを許さない業界は滅びるという至言がある。学問でもエンターテインメントでも、新しい作り手とファンを増やさない限り、業界は滅びてしまう。それなのに、中途半端に権威化した業界では、慣習やルールばかりが幅をきかせ、どんどん世の中から置いていかれる。

その世界を愛するのなら、たとえ自分の領域が侵されたと感じても「にわか」を歓迎しないとならない。「ドラクエウォーク」はどれくらい多くの「にわか」に愛される作品になるだろうか。

（２０１９・10・10）

「ポケモンGO」や「ドラクエウォーク」といった位置情報ゲームは、自宅からも楽しめる機能を充実させ、新型コロナウィルスの流行期においても売上は好調だった。

過去に向かって変化する奈良

奈良は行くたびに発見がある。東大寺といえば大仏殿が有名だが、二月堂まで足を延ばすと高台から街並みを一望することができる。僕が訪れたのは日没の時間。生駒山に落ち込んでいく、空一面に広がる夕焼けを眺めることができた。

と、新幹線に置いてある雑誌のような文章を書いてしまったが、「行くたびに発見がある」というのは傲慢な考え方だと思う。著者が「発見」だと思っているものは、地元にとって「常識」という場合が珍しくないからだ。二月堂の夕日にしても、奈良県が絶景ポイントとして景観資産にまで指定している。

もしも何度もその場所を訪れているのに、本当に毎回「発見」があると思うなら、自分が注意力散漫であることを疑ったほうがいい（もっともただの「常識」を「発見」と思える人生のほうが幸せだとは思う）。

今回僕が奈良を訪れたのは「発見」をするためではない。奈良市長の仲川げんさんと「子育てしやすい社会」をテーマに対談してきた。3人の子どもを持つ若手市長である

（苦労が絶えないせいか見た目は若くない）。

奈良県は日本で一番専業主婦率が高い。大阪や京都のベッドタウンであるので比較的裕福な家が多く、東大や京大への進学率も高い。要は豊かであるために、昭和型の生き方を維持できている家が多いのだ。

しかしそんな奈良も変わりつつある。奈良市に限って言えば、2歳以下の子どもを持つ女性の就業率が2013年は4割だったのに、たった5年間で6割にまで増えた。保育園の整備を進めているが、中々需要に追いつかず今も待機児童がいる状態だという。

大阪や京都に比べて田舎扱いされてきた奈良。大阪を地方扱いすると怒られるが、奈良にはあまり怒られない。実際、未だに県内で最も高い建築物が興福寺五重塔だったりする。ちなみに高さ2位は東大寺大仏殿だ。

そんな奈良の変化は、今や育児環境だけではない。

たとえば平城宮跡の整備が進んでいて、すでに復元された朱雀門、大極殿、東院庭園に加えて、2022年には南門が完成する予定。将来的には築地回廊や内庭広場を含めて復元していく予定だという。

東大寺も七重塔の再建を目論んでいるらしい。8世紀の東大寺には高さ70ｍ、もしくは１００ｍの東塔と西塔があったという。失われて久しいが、発掘調査を進めながら再建も視野に入れる。実現すれば奈良県で最も高い建築物になる。

面白いのは奈良の変化が過去に向かっていることだ。多くの街は過去に遡るほど何もないが、奈良の場合は逆。この街が栄華を極めたのは実に１３００年前である。大変なことだ。仮にこれから東京が廃れたとして、１３００年後の人々が２０１９年の東京を再現しようとは思わないだろう。あったとして江戸の再現だ。それくらい、未来から見て価値のある街を作るのは難しい。

いっそ奈良市中を平城京の時代に戻してくれたら楽しそうだが、地元からすれば暮らしにくくてたまったものではないだろう。

（２０１９・10・17）

あの奈良でもＰａｙＰａｙなどキャッシュレス決済が使用できる場所が増えた。さらに、ＪＷマリオット、ＡＮＤＯ　ＨＯＴＥＬ奈良若草山、ふふ奈良など、高級ホテルが相次いでオープンしている。

庶民の味方ぶる人たち

マスコミやSNSには「庶民の味方」の顔をしたご意見番が多数生息している。日本社会の構成員はほとんど「庶民」には違いないのだから結構なことだ。

ついに実施された消費増税は格好のターゲットだった。ただでさえ生活の苦しい庶民に負担を強いるなんてとんでもないというのだ。

法人税や所得税など様々な徴税方法があるのは事実。彼らが消費税を目の敵にするのはわかる。

しかし驚いたのは、消費増税に反対していたある論者が日米貿易交渉を烈火のごとく批判していたことだ。曰く、米国産の牛・豚肉の関税が下がってしまう。安倍外交の失敗ではないかというのだ。

不思議である。牛肉や豚肉の値段が下がることは庶民にとって喜びではないのか。スーパーで買う肉はもちろん、一部の牛丼チェーンも値段が下がるかもしれない。

日本はヨーロッパとも経済連携協定を結んでいて、欧州産の牛・豚肉や乳製品の関税も段階的に下げられていく予定だ。しかも欧米の乳製品の価格が下がれば、日本企業も本気で商品開発に乗り出すはずである（ただの乳製品好きの主観だが、日本メーカーのチーズは概して不味い。まだまだ改良の余地があると思う）。

なぜ庶民の味方が関税の引き下げに怒るのか。

彼らは生産者が脅威にさらされるという。その意見は正当だ。しかしこの国に圧倒的に多いのは消費者である。なぜ消費増税の時は庶民の味方をして、関税となると庶民の側に立たないのか。

もちろん、一人の人間が複数の立場を持つことは何の問題もない。昨日と今日で意見が変わることもあるだろう。それが自由で民主的な国というものだからだ。人々が勝手気ままに意見を変えることを許されなかったら、それは言論統制である。

だけど庶民の味方ぶるご意見番に僕がもやもやしてしまったのは、「政権を批判できれば何でもいい」という感情が透けて見えたからだ。

それではカルト宗教と何ら変わりがない。

カルトの人々は、自分と考えが一ミリでも違う人を排除しがちだ。それでは仲間は作れない。仲間なしには政権交代はもちろん、社会変革なんて実現しようがない。特に左の人は表立って批判し合うのが大好きだ。あいちトリエンナーレの騒動の時はそれが顕著だった。細かな意見なんて違って当たり前なのに、SNSなど公開の場で討論を始めてしまうのだ。大人なら見えない場所で妥協点を探せばいいのにね。

極端な意見にこだわり、違いを認めないと仲間を増やせないのは、右も左も同じである。実際ネット右翼が誕生してから随分と経つが、仲間はあまり増やせていない。実際の庶民（というかマジョリティ）は、いつだってそこそこ良識的だ。極端な雑誌が韓国との国交断絶を議論する前にも、訪韓日本人は過去最高を記録していたくらいだ。

というわけで勝手に庶民の味方ぶっている人々は、欧米産の乳製品でも食べて頭を冷やして欲しい。

（2019・10・24）

正義のカルト化は進む一方だ。自分の信じる正義を追求し、異論を挟む人を糾弾するのも結構だが、その行為は少しもクリエイティブではない。社会運動家ならともかく、新しい知を創造すべき学者たちが、血眼になり他者を叩いている様を見るのは哀しい。

誰かの幸福が誰かの不幸だとしたら

東日本を縦断した台風19号は列島に大きな被害を残した。堤防の決壊や洪水や土砂災害が相次ぎ、死者や負傷者も多数に上った。

被害状況が伝えられるたびに思い出していたのは、宇多田ヒカルの「誰かの願いが叶うころ」という歌だ。「誰か」が願いを叶えるために、別の「誰か」が泣いているかも知れない。この曲には「みんなの願いは同時には叶わない」のかも知れないという問題提起が含まれている。

今回の台風では試験湛水《しけんたんすい》中だった八ッ場《やんば》ダムが、その貯水機能によって利根川流域を水害から守ったという説がSNS上を賑わした。

その真偽はおくとして、一般論として全国のダムが治水に役立っていることは事実だろう。しかし居住地の水没や環境破壊など、ダム事業には多くの犠牲が伴う。大抵の場合、ダムが建設されるのは田舎で、恩恵を受けるのは都市部だ。

都市のために田舎に負担を強いてもいいのか。そんな議論も成り立つはずだ。

もちろん「田舎」も一枚岩ではない。

どんな事業にも賛成派と反対派がいて、それぞれが自らの正義を掲げる。その事業によって潤う業者もいれば、割を食うだけの人もいる。

着工から30年にわたって対立の続く長崎の諫早湾《いさはやわん》干拓事業、解決の目処が立たない沖縄の米軍基地など、全国各地に「誰か」を幸せにする代わりに「誰か」が不幸になる問題が存在している。3・11で顕在化した原発問題もその代表格だろう。

難しいのは、こうした社会的な対立は多くの場合、唯一の「正解」がないことだ。どんな決断をしても、一人残らず納得するなんてことはない。

そうなると最大多数の最大幸福か、最少人数の最小不幸を目指すしかないが、幸福や不幸の数値化は困難だ。しかも仮に「正解」に近い決断があったとしても、それを検証するのは不可能に近い。

戦後日本には米軍基地があってよかったのか。列島中に原発を整備してよかったのか。いつまでも「正解」は闇の中だ。基地があったから戦争を抑止できたのかも知れないし、ただの無駄だったのかも知れない。

「もしも」の歴史は想像で語ることしかできない。

台風で脚光を浴びたダムは非常時にこそ真価を発揮する施設だ。非常事態というのはいつ起こるかわからない。十年に一度の規模の災害なら備えておくに越したことはない。これくらいなら社会的な合意も得られやすそうだが、百年に一度や千年に一度というレベルならどうだろう。一生に一度あるかどうかの災害のために多大なコストを費やす価値は本当にあるのか判断に迷うところだ。

しかも人口減少の時代だ。土建事業に無尽蔵にお金はかけられない。ではどうしたらいいのか。

ＳＮＳでは、新たに大仏を建立すべきだという冗談が流行していた。そうやって利害の調整を放棄したくなる気持ちもわかる。でも実は日本にはすでに何十もの大仏があるのだ。大仏だけでみんなを救うことは難しいらしい。

（２０１９・10・31）

ジョン・スチュアート・ミルの『自由論』によれば、他人の自由に干渉できるのは、自衛の時だけである。危害原則として有名で、自由な近代社会の基本原理の一つのはずだが、最近はないがしろにされることが多い（p. ２９５参照）。

教育に期待しすぎな人々

学校での漢文の授業に対して「意味がない」とつぶやいた男性ミュージシャンがいた。彼の発言は専門家や識者から袋だたきに遭う。曰く、漢文の訓読は日本語の歴史の勉強でもある、過去の日本語を読もうと思ったら漢文は必須といった具合だ。

当然の反応だろう。彼の発言には批判が集まって当然だ。それは義務教育で絶対に漢文を教えるべきだ、という意味ではない。

僕も漢文を全員に教える必要はないと思っている。そうではなくて、「漢文」の代わりに何の不要論を唱えても炎上は避けられなかったと思うのだ。

たとえば橋下徹さんが「三角関数を全員が学ぶ必要はない」と発言した時も、設計などには必要な知識だと多くの反論に遭っていた。同様に「地学」や「ダンス」がいらないと主張すれば、その道のプロからの批判が相次ぐだろう。

一方で、今の学校で手薄な分野をカリキュラムに含めるべきだと熱弁する識者もいる。労働基準法をしっかり教えるべきだ、金融教育を徹底するべきだ、といった具合だ。

意見はどれも一理ある。そうした授業があれば、ブラック企業に対して毅然と立ち向かえるかも知れない。株トラブルに巻き込まれる人が減るかも知れない。

そもそも、世の中に「知って困ること」なんてほとんどない。もし義務教育が死ぬまで続くならば、無限にカリキュラムを増やしていくことができるだろう。欧米文化の根幹に関わるラテン語や古典ギリシア語も学べばいいし、現代物理学に決定的な影響を与えた相対性理論も勉強したらいい。

しかし授業時間は有限なのだ。今のカリキュラムでさえ全員が理解・記憶できているわけではない。人は学校で教わることの多くを忘れてしまう。あらゆる情報の検索が容易になった時代、何もかもを学校で教えようとするのは不合理だ。

僕自身、漢文はもちろん古文や現代文でさえ、学校で教えることに意味があるのか疑っている。ネットニュースのコメント欄などを読んでいると、とても国語の授業が機能しているとは思えないからだ。多くの人は「著者の意図」なんて汲めていないし、それで何も困っていない。せいぜい選択制でいい。

こんな話を聞いたことがある。ある漫画家が「小説はいいなあ。教科書に載っていて、読み方まで学校が教えてくれるんだから」と言ったという。それに対して小説家は答えた。「逆ですよ。教科書に載っているせいで小説は勉強の延長だと思われてしまう。漫画がうらやましいです」。

　考えてみれば、漫画の読み方も、人の笑わせ方や励まし方も、恋愛や結婚の仕方も、学校ではきちんと習わない。だけど自然にできてしまうことがたくさんある。そして意欲があれば、人は何歳からでも学習することができる。それこそ漢文なんて大人の趣味に丁度いいと思う。漢文不要論に怒っていた人は教育に期待しすぎなのだ。学校ってそんないいもの？

（２０１９・11・７）

８世紀の歴史書『日本書紀』をＤｅｅｐＬ翻訳で中国語として自動翻訳にかけてみると、きちんと意味の伝わる日本語になる。さすが「正史」として中国向けに書いただけある。一方で『古事記』は、中二病がかったライトノベル風味に翻訳されるので試してみて欲しい。

「天気の神」を寿ぐ危うさ

10月22日、即位礼正殿の儀が執り行われた。宮内庁のウェブサイトによれば「天皇がご即位を公に宣明されるとともに、そのご即位を内外の代表がことほぐ儀式」だという。当日の東京は朝から強い雨が降っていた。しかし儀式が行われる午後1時前後から突然雨が上がり、空には大きな虹まで懸かる。SNS上は大騒ぎだった。ある作家などは「天が新天皇の即位を寿《ことほ》ぎ、日本を祝福している」「日本人の多くが天照大神の存在を見た」とツイートしていた。

確かに偶然にしてはよくできている。人知を超えた何かを信じたくなる気持ちもわかる。奇《く》しくも今年は新海誠監督の『天気の子』という映画がヒットしていた。天気を自由に操れるヒロインが主役の青春アニメだ。『天気の子』になぞらえるなら、古くから天皇は「天気の神」であることを期待されていたのかも知れない。

そもそも天皇家の祖先は天照大神ということになっている。農業国家だった古代日本において、天候は今以上に人々の生き死にを左右した。昔の人々が天皇家に天気のあれこれを期待してもおかしくない。

しかし「天気の神」伝説は20世紀にも復活してしまう。神風だ。神の国である日本は、ピンチになれば神風によって救われるというトンデモ思想である。13世紀の蒙古襲来時に嵐が日本を救ったという神話がアジア太平洋戦争時に蘇ったのだ。

もちろん都合よく神風なんて吹かずに、日本は大敗を喫する。ちなみに蒙古襲来時に戦地を嵐や台風が襲ったのは本当だが、勝敗に決定的な影響は与えなかったらしい。実際、台風が去った後も戦いは続いていた（服部英雄『蒙古襲来と神風』）。

だが現代人も神風をトンデモ思想だと笑えない。「天皇家の大切な儀式の日だから空が晴れた。それは神の力だ」と考えてしまうことと、戦時中の神風への期待には親和性がある。

進化遺伝学風に言えば、神の存在や宗教を信じやすい人々の生き残りが現代人だ。だから何かとんでもない偶然を目にした時、それを神の力だと考えてしまう気持ちはわからないでもない。

「とくダネ！」で例の「奇跡の虹」について意見を求められたので「たまたまでしょ

う」と発言したら、興をそぐなと批判が殺到した。おめでたいことだから喜んでおけというのだ。

しかし「天気の神」に期待しすぎるのは頂けない。

今年は大きな台風が列島を襲い、各地に多数の死者を出した。もしも本当に日本が神の国であり、「天気の神」がいるのならば、即位礼正殿の儀に虹を見せるだけではなく、台風被害も抑えてくれたのではないか。あれほどの人が自然災害で死ぬ必要はなかったのではないか。

古代と違って、現代人には天に祈る以外にできることが無数にある。気象制御の研究も進んでいるし、治水技術も大きく発達した。多少の日照りくらいで人々が餓死することもなくなった。現代における祈りとは万策尽きた後の、ささやかなＳＯＳである。

（２０１９・11・14）

ベストセラー『ＦＡＣＴＦＵＬＮＥＳＳ』によれば、この１００年間で、自然災害で死ぬ人の数は半減している。世界全体が豊かになり、災害に備えられるようになったからだ。

観光客が喜ぶのは「受け入れられてる感」

名古屋駅から特急「ひだ」で2時間半。岐阜の高山駅に着くとホームは外国人であふれていた。東京や大阪に比べると決してアクセスのしやすい場所ではない。それにもかかわらず、高山市には人口の6倍以上にあたる年間約60万人の外国人観光客が訪れるのだという。

人気の理由はいくつかある。まず、わかりやすい「日本」を楽しめること。白川郷にも近く、観光客が想像しやすいベタな「田舎」の日本を体験できるのだ。

そしてジャパン・レール・パスという外国人向け乗り放題乗車券で日本を回る旅行者にとって、実は高山は来やすい場所。特にヨーロッパ人は長期滞在型の旅行が多いため、東京から関西に移動する途中で1泊か2泊することが多い。

僕が実際に訪れて感じたのは、観光客に対するフレンドリーさだ。まず自治体が観光に積極的。高山市には海外戦略部なる部署まで存在し、熱心に活動中だ。

街中の無料Wi-Fiも当たり前。観光パンフレットは言語によって内容まで変える。

韓国語版は雄大な山をピックアップしたり、ドイツ語版には写真ではなく文字での説明を増やしたり、各国からの旅行者に配慮した内容になっているのだ。

外国人観光客に慣れた飲食店も多い。平安楽という中華料理屋さんでは、ハラルやグルテンフリーなど、お客さんの細かい要望に応えてくれる。もちろん女将さんは当たり前のように英語を話す（そして丁寧なお辞儀などエキゾチックな雰囲気にも事欠かない）。何だか街全体から「受け入れられてる感」がするのだ。

インバウンドが流行語のようになって久しいが、どこの街でもこうはいかない。外国人からもそこそこ人気の「田舎」に行った時、地元の市役所の職員が悪気なくこんなことを言っていた。「観光客が来ても一部の産業が潤うだけで地元は迷惑なんですよ」。

確かにそれは一面の真実だろう。世界各地でオーバーツーリズムは問題になっている。たとえばアムステルダムは、観光客の増加を抑えようと躍起だ。大麻や買春が楽しめるということもあり、2018年だけで1800万人の観光客が訪れた。そのためチューリップ畑が荒らされたり、様々な弊害が出ているようだ。

日本では京都に毎年5000万人以上の観光客が訪れ、そのうち800万人以上が外国人である。地元からは交通渋滞や騒音など多くの問題が指摘されている。

もちろん居住者の気持ちもわかる。古くから住んでいる人からすれば、よそ者が大挙して街を闊歩する様子を見るのは気に食わないかも知れない。

しかし都市とは本当に地元住民だけのものなのだろうか。特に古都京都の文化財は世界遺産に登録されている。世界遺産とは文字通り「人類共通の遺産」である。観光の促進は世界平和を促すという考えもある。

異文化衝突が戦争にまで発展すると笑えないが、マナー程度なら口頭での説明で何とかなる。もっと多くの街が「受け入れられてる感」を出してもいいと思う。（２０１９・11・21）

２０２０年の日本では、国境が事実上封鎖されたばかりではなく、県境までが取り締まりの対象になった（法的根拠はない）。岡山県知事の「岡山に来たことを後悔するようになればいい」発言は記憶に新しい。感染症の終息後も禍根は残るだろう。

世界進出のキーワードは「中二」

ポケットモンスター。言わずと知れた日本発の人気ゲームである。原点は1996年に発売された携帯用ゲームだ。アニメやカードゲームとしても大成功し、最近では「ポケモンGO」のヒットが記憶に新しい。

その人気は世界規模だ。歌手のエド・シーランもポケモン好きを公言する一人。友達のいなかった小学校時代、ポケモンばかりをして過ごしていたらしい。

ガラパゴスと言われる日本だが、ポケモンを筆頭にゲームやアニメなどコンテンツの分野では世界進出に成功してきた。マリオ、ソニック、ナルトは今でも大人気だ。

一方で、日本には世界で通用するソフトウェア企業が一社もない。せいぜい韓国資本のLINEくらいで、すっかりGAFAの後塵を拝している。ある世界的ソフトウェア企業で働く友人は、日本製のソフトウェアに対して「ガラパゴスというが、日本独自の進化をしてきたというよりも、ただ単に出来が悪いだけ」と酷評していた。

「ものづくりの国」と言われた時代は家電の輸出こそ盛んだったが、世界シェアでは韓国や中国企業に抜かれて久しい。

先の友人によれば、電機メーカーの凋落はソフトウェアの弱さにも原因があるという。要は日本製品は使いにくいということだ。

ハードウェアが重要な自動車分野では今でも日本が勝っているが、自動運転が全盛の時代になれば形勢が逆転してしまうかも知れない。

そんな中でも、ゲームやアニメ、マンガは順調に世界進出を果たしているように見える。そこには一体、どんな秘密があるのか。

株式会社ポケモンの社長である石原恒和さんと対談した時に、その話題になった。出てきたキーワードは「中二」。ターゲットを中二以下に設定すると、世界に通用する可能性が上がるのではないかというのだ。

確かにゲームやアニメも元々は子ども向け。その制約が図らずもグローバル化に寄与したというのはあり得る話である。

実際、世界で通用するにはわかりやすさが非常に重要だ。日本製品はその点をないがしろにしている。

たとえば、親の持っている「らくらくスマートフォン」を触って驚いたことがある。

「らくらく」とは名ばかりで操作が難しいのだ。どう考えてもｉＰｈｏｎｅのほうが使いやすい。実際、今では親もｉＰｈｏｎｅを楽々と使いこなしている。

考えてみれば当たり前の話で、ｉＰｈｏｎｅは人種や文化を越えて、世界中で愛用されている。そりゃ、日本国内における「世代」くらい、易々と越えられる壁なのだろう。

しかし一概に「わかりやすさ」と言っても難しい。

そこで「中二」だ。サービスでもゲームでも文学でも、ユーザーが中学生であってもわかるか、という視点を持つことは大切だと思う。ビジネス書のタイトル風にいえば「世界で売れたければ中学生向けに作りなさい」だろうか。

ちなみに今回のエッセイは、説明もなくＧＡＦＡという単語を使ったり、明らかに中学生の読者が読みやすい内容ではなかった。ごめんね。

（2019・11・28）

エンターテインメント分野でも、中二が主人公の大ヒット作品は多い。たとえば『美少女戦士セーラームーン』の月野うさぎ、『幽☆遊☆白書』の浦飯幽助、『新世紀エヴァンゲリオン』の碇シンジなどである。

過激な言動は落ち目のサイン

「落ち目の時ほど過激になる」という法則がある。

たとえば政治がわかりやすい。自民党は2009年から2012年の野党時代、中々挑戦的なことを言っていた。当時発表された憲法改正草案には「国防軍」の創設や「表現の自由」への制約など、ナンセンスな言葉が並ぶ。今も草案は自民党のウェブサイトに掲載されているが、与党復帰後はあまり本気で議論された様子はない。

野党は責任がない分だけ自由なことが言える。過激な発言をしないと注目が集まらないという事情もあるのだろう。

最近もツイッター上でこんなことがあった。

タレントのつるの剛士さんが、「政治家の皆さんにお願い」として「台風の被害で被災された地域の方々が大変な生活を強いられています。くだらないことに大切な時間を使ってないで来年の春に桜を見せてあげてください」とツイート。野党が桜を見る会の批判にばかり熱心で、台風の復興支援がおろそかになっているのではとの危惧からの発言だろう。

それに対して総務大臣経験もある国民民主党のある議員が反応したのだが、さも炎上狙いのようなツイートだった。そんな「タレント」に言われずとも災害支援はしている、「劣悪番組を垂れ流す電波利権専有問題も追及します」というのだ。

正確な意図が取りにくい発言だが、「タレント」や「タレント」を使うテレビ局に圧力をかけたかったのかも知れない。

もしも総務大臣時代にこんな発言をしていたら大問題になったはずだ。だが彼も今や一介の野党議員。世間の気を引くのに必死なのだろう。

落ち目の過激化には、一部の支持者の意見を聞きすぎてしまうという要因もある。人気の落ちた人を応援してくれるのはよっぽどのファンだ。意見が偏っていることも多い。そのファンに媚びるほど、余計に王道から逸れ、落ちぶれていくケースをよく目にする。

政治家に限らず、歌手や作家も同じだ。マニアックなファンの声に耳を傾け、大衆からズレていったアーティストは多い。もちろんアーティストがどんな人生を歩むかは自由だ。ごく限られたファンと共に自分の世界を探求する道もあるだろう。

一方、長年第一線で活躍している歌手はそれとは真逆の行動を採ることが多い。

かつてこの連載で中島みゆきさんを「タイアップの女王」と書いたことがあるが、最近は山下達郎さんのことを密かに「タイアップの王様」と呼んでいる。

山下さんは現在放映中のキムタク主演のドラマ『グランメゾン東京』の主題歌を担当しているが、タイトルは何と「RECIPE（レシピ）」。ド直球である。歌詞もドラマの内容に寄り添ったものだ。かつては広告代理店の要求を全て呑んで「I LOVE YOU」の3語だけで作ったCMソングまであった。本当の作家性とはタイアップくらいで失われるものではないのだ。

言動が過激化してきたら落ち目のサイン。というわけで今回のエッセイも「原口一博やばいな」とか書かずに穏当に終わろうと思う。

（2019・12・5）

他者の好意に抗うのは難しい。たとえばSNSで、たまたま呟いた発言に対して、異様な数の「いいね」がついたりする。そうすると本心でなくても、同じような発言を繰り返してしまう。結果、それが過激化につながるといった事例をいくつも見てきた。

野党の支持率が上がらない理由

「全ての人を少しの間、騙すことはできる。一部の人をずっと騙すこともできる。しかし、全ての人を常に騙すことはできない」。第16代アメリカ大統領のエイブラハム・リンカーンの言葉である。

しかしリンカーンの理論が崩れる時がある。それは権力者が外部の脅威を煽り、本当の社会問題を隠蔽しようとする時だ。たとえば他国から侵略されそうだとか、次から次に危機をでっち上げれば、国民は病院の混雑や川の汚染などは些末なことと考え、文句を言わなくなるだろう（ユヴァル・ノア・ハラリ『21 Lessons』）。

不思議なのは現代日本では野党がその戦略を採っていることだ。

最近では桜を見る会を巡る一連の騒動がいい例だろう。開催趣旨や招待客の基準など、政府のイベントとして問題点が多いのは確かだ。しかしこの会によって誰かが命を落としたわけでもないし、日本の景気が悪くなったわけでもない（もちろん良くもなっていない）。

桜を見る会の騒動が長引くほど、ニュースとしては退屈だけれども重要な問題への注目度は減っていく。

たとえばこの国では未曾有の少子高齢化が進んでいる。新生児の数はついに90万人を割り込んでしまった。１９７０年代の約半分である。日本より出生率の高い先進国は多く、少子化は「人災」と言えるだろう。しかし多くの政治家は少子化に大きな関心を寄せない。

このような課題は他にもたくさんある。夫婦別姓や同性婚などの結婚制度、心配する声も根強い日米貿易協定、長期的見通しがないまま進んでいる原発政策。

立場によって政策の重要度は違うだろうが、桜を見る会が２０１９年における日本最大の問題とはとても思えない。

もしも与党の自作自演ならば納得できる。解決が困難な問題から国民の目を逸らすいい口実になるからだ。実際、一連の〝桜〟騒動によって日米貿易協定がメディアで取り上げられる機会は大きく減った。そんなことをなぜ野党が？

一口に野党と言っても立場はばらばらだ。そんな彼らが唯一徒党を組めるのが「誰が見ても問題な政権側の失敗」である。だけど原発や経済政策だと何が「失敗」かは野党の中でも意見が分かれるから、桜を見る会がターゲットとして丁度よかったのだろう。

しかし各種世論調査を見る限り、野党の支持率は上がっていない。丁度いいところで批判をしておこうという戦略が透けて見えるせいかも知れない。もしも桜を見る会を廃止するために政治家になったという熱い議員でもいたら情勢が変わっていたのかも（いないだろうけど）。

リンカーンの言うように、全ての人を騙し続けることができないなら、野党は着実に政策論争を繰り返していくしかない。

ちなみに僕自身は桜を見る会が存続しようとしまいとどちらでもいい。政治家と国民との回路は制度的に確保しておくべきだと思うが、それはＳＮＳなどでも代替できる。あと開催が朝早いのもいただけない。

（２０１９・12・12）

新型コロナウィルスの騒動を見ている限り、日本に本当の意味で「悪徳政治家」はいないことがわかった。無能だったり、考えが足らなくて右往左往している政治家ばかりで、コロナを利用して、本気で憲法改正や政治改革に乗り出すような動きは本格化していない。

歴史の「忘却」がもたらすもの

日本は2020年で戦後75年を迎える。しかし慰安婦や徴用工など日韓の歴史問題を見ていると、まだしばらく「戦後」は続きそうだ。

ノルウェーに留学していた時、韓国からの留学生と歴史について議論したことがある。韓国併合、慰安婦、竹島（独島）など一通り話した後、辿り着いた結論が「みんなが記憶喪失になればいいのにね」。20世紀の悲しい記憶がすっかり消えてしまえば、日本と韓国は友好国になれるんじゃないか。もちろんその時は冗談半分だった。

しかし現代の政治学では歴史の「忘却」が真面目に議論されている（多少文脈は違うが、飯田芳弘『忘却する戦後ヨーロッパ』参照。いい本）。それどころか忘却がなければ、戦後ヨーロッパの復興もあり得なかったという意見まである。

戦争中、フランスをはじめ数々の国がナチスの侵攻を受けた。被害を受けた国は、戦争が終わってしばらくはドイツへの恐怖が生々しく残っていたはずだ。

しかし戦争から立ち直るためには、いつまでもドイツを憎んでばかりはいられなかった。ドイツの戦争犯罪を徹底的に追及するよりも、ヨーロッパの国々は経済協力を選んだのである。

象徴的なのがフランスとドイツの和解だ。歴史上、何度も戦争してきた両国でさえ、今はEUとシェンゲン協定に加盟していて、国境での出入国管理もない。

「忘却」は決して特異な現象ではない。たとえば日本国も様々な「忘却」の上に成立している。近代日本成立の過程では、アイヌや琉球に対する「侵略」もあったし、旧幕府勢力との内戦もあった。

今でも怨恨が完全に消えたとは言えないが、長州と会津の対立は日本と韓国の対立よりもだいぶマイルドだ。「やっぱり戊辰戦争は許せない」と言って、旧会津藩の人々が内戦を始めそうな気配はない。それは「忘却」が機能しているからだ。

よく歴史では「記憶」の大切さが語られる。特に直接の戦争経験者が減少する中で、戦争の記憶をいかに継承するかが問題になる。しかし世界中の人々が、歴史上の全ての戦争を生々しく記憶していたらどうなるだろう。「記憶は正義の友であるかもしれない。しかし平和の友であることはまれだ」という言葉まである。

そうは言っても一方的に「忘却」を押し付けることはできない。特に日本が韓国に

「忘却」を強いたら反発は必至だ。また一口に「忘却」と言っても、お互いに覚えておきたいことと忘れてしまいたいことは一致しない。日本は統治時代の悪政を忘れがちだし、韓国は日韓基本条約を忘れがちだ。

　このままだと日韓は戦後１００年を過ぎてもいがみ合っていそうだ。しかし16世紀に起こった豊臣秀吉の朝鮮出兵はさすがに外交の道具にはならない。現代の感覚からすれば秀吉はとんでもないことをしたにもかかわらず、である。

　ということは、25世紀にでもなれば太平洋戦争の「忘却」は済んでいるのだろう。途方もない未来だ。せめて21世紀中に何とかならないものか。（２０１９・12・19）

全ての関係者が同時に「忘却」することに意味がある。漫画家の萩尾望都さんが出版した『一度きりの大泉の話』という、とんでもない回顧録がある。同書を読む限り、かつてルームシェアをしていた竹宮惠子さんと再び友好関係が結ばれる可能性はないだろう。

「グローバル化」は先史時代から始まっている

客室まで呼んだＵｂｅｒ Ｅａｔｓで朝食を済ませ、手元のグーグルマップを頼りにホテルから目的地へ向かう。バス停ではプラダのトートバッグを持つ現地の青年がＡｉｒＰｏｄｓで音楽を聴いている。

まさに今朝の光景なのだが、世界の多くの都市で成立しそうだと思った。僕は昨日から、台北に来ている。台湾自体が初めてなのだが、東京でも活用しているサービスがそのまま使えるので全く不便を感じない。

たとえばＵｂｅｒ Ｅａｔｓを利用すれば、地元の店に小籠包《しょうろんぽう》もタピオカも頼み放題。もちろん配達してくれるのは現地の人だが、アプリは日本語が使えるから困らない。

「グローバル化」と言われて久しいが、その度合いは日増しに高まっている。街で一番新しいショッピングモールの目立つ場所には純白のアップルストア、1階にはグッチやバーバリーなどのハイブランドが並び、大抵地下にはフードコート。そんな風に商業施設のルールまで共有しているものだから、人は初めて訪れる街でも何の苦労もなく行動することができる（地方の人がどうなのかは知らない）。

各都市が抱える悩みも似ている。たとえば巨大建築物。台北では巨大ドームが建設中だが、2012年に着工したにもかかわらず完成はまだ。台北市と建設会社が揉めていて、この数年は工事も滞っている。近くまで行ってみると9割方は完成しているようだった。一等地にもかかわらず稼働しないのは勿体ない。

ドイツのベルリンでも新しい国際空港の工事が大幅に遅れている。本来なら2011年に開港するはずだったのだが、自動ドアが開かなかったり、スプリンクラーが作動しないというまぬけなミスが次々と発覚。20億ユーロの予定だった建設費用も59億ユーロにまで達した（2020年11月に開港）。

東京では新国立競技場の総工費が批判されていたが、きちんとオリンピックに間に合っただけでも喜ぶべきなのだろう。

巨大プロジェクトでは、多数の利害や思惑がぶつかり合う。特に新国立競技場のザハ案撤回を巡る騒動のように、民主主義の国ではトップダウンだけで物事は進まない。常に政治家は世論に気を遣うからだ。

しかし独裁政権でも巨大建築の難しさは変わらないらしい。北朝鮮の高さ330メートルの柳京《リュギョン》ホテルは着工から30年以上経つが未完成のまま。資材不足や未熟な工事技術が原因だという。

そう考えると、ピラミッドや万里の長城など古代の巨大プロジェクトでも工期の遅れは日常茶飯事だったのかも知れない。その意味で人類は昔から同じようなことに悩んできたのだろう。

考えてみれば「グローバル化」とは程度問題だ。先史時代からワクワクする物語は神話という形で世界中に流通していただろうし、人々の移動と共に言語や宗教も運ばれていった。

現代社会もその延長として理解可能だ。「いいもの」は世界中で流行する。そういえばヨーロッパでさえウォシュレットを見かける機会が増えた。いつか何のストレスもなく世界を旅できる日が来るのだろうか。

（２０１９・12・26）

台湾はコロナ対策の優等生として名を馳せている。２００３年のＳＡＲＳ対策に失敗したことを契機に「防疫に強い政府」を目指したのだ。新型コロナウィルスの流行に際しては、何と２０１９年12月31日から中国武漢便の機内検疫を実施している。

繰り返しの効用

いよいよ２０２０年。しかしあまり年明け感がない、という人も多いのではないか。２０１９年４月には新元号の発表、５月には改元があった。元号が変わったのは30年ぶりだが、西暦は毎年変わる。比べると、それほどありがたみはない。

しかも夏には東京オリンピックが控えている。開催が決まった２０１３年以来、この国は何かとオリンピックを目安として動いてきた。人口減少と少子高齢化に苦しむ日本にとって、オリンピックは数少ない希望の一つに見えたのだろう。

当たり前の話だが、ただの大運動会くらいで日本が劇的にいい国になるわけがない。活用方法の決まっていない新国立競技場などのレガシーが「負の遺産」になる可能性を考えると、少し悪い国になることはあるかも知れない。ただしオリンピックがきっかけで国が飛ぶなんてこともまずあり得ない。

オリンピックは、経済が停滞した国にとってドーピングのようなものだ。一時的に希望を生んだりはするが、抜本的に何かを解決してくれるわけではない。

興味があるのは、オリンピックが終わった後のこの国の雰囲気だ。祭りの後は寂しいもの。ひたすら暗い空気に国中が包まれると数年前までは思っていた。

しかし、恐らくそうはならないだろう。お正月が終われば多くの人が当たり前に元通りの生活を再開するように、粛々と日常が訪れるのだと思う。繰り返される日常の磁場とはそれくらい強固なものなのだ。

少し話は変わるが、僕も最近、繰り返しの効用に気付くようになってきた。

たとえば講演会をする時。昔は同じ話をするのが嫌だった。基本的には「幸福論」や「若者論」といったように先方の希望するテーマに沿って話すのだが、どうしてもテレビや書籍での発言との重複が多くなる。定番を回避していつも新しい話を準備してもいいのだが、お客さん目線に立つと微妙に思えてきたのだ。

たとえば好きなミュージシャンのライブに行くとする。聞きたいのはヒット曲だ。たまに新曲ばかりのライブをする歌手がいるが、熱烈なファンでないと正直ついていくのが辛い。

ミュージシャン本人に聞くと、ヒット曲ばかりを歌うのは飽きてしまうそうなのだ。ファンの多くがライブに行くのはせいぜい年に1回か2回。しかし歌手の場合、ライブやリハーサル、テレビ出演を含めれば同じ歌を何百回と歌っている場合だってある。

考えてみれば僕自身、同じ話を聞くのは嫌ではない。田原総一朗さんがこれまで総理大臣を3人辞めさせた話など、何回聞いても落語のように面白い。

そのうちこの連載も、定期的に同じ話が繰り返されるようになるかも知れない。そっちのほうが人気になったりして（実際、そんな人もいますよね）。

毎年繰り返される年明けに際する、非常にありふれた言葉になるが最後に一応。「今年もよろしくお願いします」。

（2020・1・16）

今になって読み返すと、ホラー映画でよくある「観客全員が、もうすぐ絶体絶命の危機が訪れることに気が付いているのに、呑気な登場人物だけが知らない」みたいな状態ですね。

海外の都市はなぜお洒落なのか

長崎県の田舎をノルウェーの友人と歩いていた時の話。街の統一感のなさが話題になった。商店街も民家も、建物や屋根は色から形までバラバラ。ちらりと見えてしまう家の中も、とにかく秩序立っていない。畳の部屋にピンクのタンス、キャラクターもののカーペットといった具合だ。

ノルウェーで訪れた友人・知人の家は、どれも統一感があり、僕の目から見ると「お洒落」だった。そのことを友人に話すと、そもそも家具屋やインテリアショップで売っている製品が違うのではないかという。北欧人だからお洒落と考えるのは間違いだというのだ。

確かにファッションに関しては、ノルウェーでは機能性重視の人が多い。一言でいえばダサい。このことからも、ノルウェー人全員に「お洒落」というスキルが備わっているわけではないことがわかる。

それにもかかわらずなぜスタイリッシュな家が多いのか。それは、ただの選択肢の問題なのかも知れない。ノルウェーの家具屋には「北欧風」といったシンプルな製品が多い。たとえば日本のようにおかしな色のタンスを買いようがない。その結果、家がお洒落に見えるだけではないか。そう考えると、日本の「ホームセンター」的なものが、田舎のダサさの元凶である気もしてくる。

実は今、この文章はパリで書いているのだが、この街も隅から隅までお洒落なわけではない。どう見ても支離滅裂なセンスをした雑貨屋や、情緒不安定な照明のカフェなどもある。それでも古い建物が多いから、街全体に統一感はある。

要はグランドデザインがしっかりしているから、多少のダサさが目立たなくなってしまうのだ。

近代日本の研究者からこんな話を聞いたことがある。明治時代、新しい都市計画を策定するにあたり、多くの政治家や技術者がヨーロッパを参考にしようとした。彼らはヨーロッパでは街作りの際に「調和」という概念が大事にされていることを知る。しかし、どんなに説明されても中々「調和」の意味がわからなかった。代わりにどうしたかというと、理解しやすい「清潔」を基本に街作りをしたらしい。

その傾向は現在も続いていると思う。日本の街はどこも清潔だ。あまり臭いはしないし、ゴミも落ちていない。ただし調和がとれているとは言いがたい。
挽回のチャンスはあった。有名なのが後藤新平の帝都復興計画である。１９２３年の関東大震災で荒廃した東京を大規模に改造しようとした。だが破格の予算がかかることや、地権者の反対運動に遭い計画は頓挫してしまう。ちなみに、後藤の目論見通りの東京が完成していれば、東京大空襲の被害も大きく減っていたらしい。

まあ、これでいいんだという考え方もある。都市の改造にはお金も時間もかかるが、色とりどりの看板設置を制限するだけで日本の街並みはだいぶ変わるだろう。しかし、この雑多さがいいと割り切ることもできる。

しかも調和と地味は紙一重。たとえばこの『週刊新潮』の表紙のように。（2020・1・23）

日本のインテリア問題に関しては、やはりホームセンターが犯人なのではないかと思う。「どうしてそのデザインや色を売ってしまうの」といった製品があまりにも多いのだ。ピンクの箪笥とか。たくさんの選択肢から「正解」を選ぶのは非常に難しい。

画質で時代を測る

友達がローマのコロッセオの写真を送ってくれた。最新のｉＰｈｏｎｅ11（かつ最上位機種のＰｒｏ Ｍａｘ）で撮影しただけあって、壁面や内部の天井の意匠を含めた細部まで確かめることができる。

僕もコロッセオには8年前に訪れたことがある。その時の写真を確認してみると、画質と画角の違いに愕然とした。もちろんカラーなのだが、まるで昭和の写真屋で現像したような古臭い写真なのだ。露出が甘く、全体的にぼんやりとしている。

当時はもうスマートフォンがあったものの（その頃の最新機種はｉＰｈｏｎｅ4Ｓ）、カメラの性能は今よりだいぶ劣っていた。

最新のｉＰｈｏｎｅは１２００万画素の超広角カメラを備える。これまでのように、全景を撮るために撮影者が後ろに下がるなんて苦労は必要なくなった。一眼レフには敵わないが、コンデジと呼ばれる小型高性能カメラにも引けを取らない出来だ。

アップルの時価総額は何と約１３６兆円。株価はこの1年間で約2倍になった。しかしその間にアップルが画期的な発明をしたわけではない。

一大イベントと言えば、新しいｉＰｈｏｎｅを出したことくらい。そのｉＰｈｏｎｅもわかりやすい進化はカメラだけ。

アメリカの株式市場がいかにバブルなのかを説明するために、「アップルは背面カメラを一つ増やしただけで時価総額が2倍になった」と揶揄されたりする。

たかがカメラだが、されどカメラ。人間は情報の約8割を視覚から得ているという話もあるくらいだ（実際は状況によって変わる）。

最近のカメラの進化には、約10年前にｉＰｈｏｎｅが発売され、ガラケーがスマートフォンに代わった時ほどの衝撃はない。だけどコロッセオの写真を比較する限り、画像のインパクトは決して侮れない。

たとえば昭和のなつかし映像が「昭和」らしく見えるのは、色や画質が大きく関係しているだろう。もしも戦時中の映像がカラーのハイビジョンで残されていたら、それが半世紀以上前の出来事だと思えない気がする。ぼんやりとした白黒映像だから、昭和と現代の「距離感」を感じることができるのだ。

平成を振り返る時も、画質の良し悪しが時代を測る一つの材料となっている。平成前半の「皇太子ご成婚」のアナログ映像はどこか「古い」。一方で、地デジ化が完了し、ハイビジョンが一般的になった２０１０年代の映像は「新しい」。まあ、老眼の人には関係ないかも知れないけど。

今後、４Ｋや８Ｋが主流になれば、ハイビジョンの映像でさえ古く見える時代が来るのだろうか。８Ｋまでいくと映像に立体感が出るので、ハイビジョンになった時くらいのインパクトはありそう。

そういえば『週刊新潮』のような雑誌の、わら半紙（みたいな安っぽい紙）に活字がびっしりという誌面構成は、もうどれくらい変わっていないのだろう。時代に置いていかれたかに思えるが、いつまでも古びないメディアとも言える。もうこれ以上、古くなれないほど古いからだ。

（２０２０・１・30）

写真家のロバート・キャパが第二次世界大戦の様子をカラーで残している。それを見た時、あの戦争が現代と地続きのものだと実感できた。ＡＩによって白黒写真をカラー化する試みが盛んに行われているので、あの戦争がより「身近」に感じられる時代が来るのかも知れない。ちなみにアップルの時価総額は２００兆円を超えた。

政権批判のためにハラスメントしてしまう人たち

小泉進次郎議員の育児休暇取得が話題になっている。世界では当たり前でも、日本にとっては新しい出来事。だから賛否はあってもいいと思うが、こんな興味深いツイートを見つけた。

普段は男女平等の重要性を訴える研究者が、小泉議員の育休取得のニュースに対して「この人には2年くらいとってもらったほうがいいのでは」とつぶやいていたのだ。以前から小泉議員の活動に批判的な研究者なので、「2年休んだほうが社会のためになる」といった嫌味なのだろう。

しかし同じことを一般企業で育休を取得しようとしている若者に言ったら立派なハラスメントである。仮にその若者がどんなに仕事ができない人だったとしても、そのことと育休の長さはまるで関係がない。

「政治家は別」という意見があるが、政治家だからといって子どもと触れあう権利や、職に復帰する権利を奪われる筋合いはない。育休の長さくらい自分で決めればいい。

もしも、その研究者が常日頃から男女平等に批判的で、男は育休など取得せずに働き続けるべきだという考えの持ち主ならば、思想としての辻褄は合う。しかし普段は、労働時間の削減や、万人が働きやすい環境の整備を訴えているのだ。

最近、似たような現象を目撃する機会が多い。その元凶は「安倍政権」である。言論の世界には、「何が何でも安倍政権や自民党を擁護したい集団」と「批判したい集団」がいる。彼らが不幸なのは、安倍政権の政策に一貫性がないために、その批判もちぐはぐになってしまうことだ。

たとえば政権の改憲に対する意欲、同性婚や選択的夫婦別姓への消極的な態度は従来の「保守」と重なる。一方で、働き方改革や幼保無償化などへの取り組みは「リベラル」な政党が主張してきたことでもあった。

さらに自民党全体に視野を広げれば、「男性の育休『義務化』を目指す議員連盟」まである。育休義務化といえば、「リベラル」な人々が模範とする北欧で実施されている先駆的な政策だ。

かねてから自民党は大衆政党であった。票になると思えば、あっさりと軸足を移してきた。今後、世論が盛り上がれば、同性婚や夫婦別姓に対しても肯定的になっていくのだろう。

　つまり安倍政権や自民党に対する賛美や批判を至上命令としていると、言論に一貫性がなくなるのは当然なのだ。もちろん、それも一つのあり方。どれほど合理的で科学的に見える意見であっても、その裏側に直感的な好き嫌いが隠れていることは珍しくない。

　ちなみに冒頭の研究者のハラスメント発言だが、「2年くらい」ではなく「半年」と書かれていたら、僕も納得していたと思う。子どもが1歳になったら保育園に預けるとして、それまで半年ずつ育休を取得することは、双方のキャリア戦略を考えても合理的だからだ。

　育休批判の根っこには他者に対する過剰な厳しさがある。その厳しさはやがて、自分自身の首まで絞めてしまうと思うのだけれども。


（２０２０・２・６）

２０２２年4月から「男性育児休暇義務化」が始まる。企業が対象の従業員に周知し取得を促す義務という生温い内容だが、日本としては一歩前進だ。ヨーロッパでは、両親のどちらかが育児休暇を取得しないと権利が消滅するという仕組みを採用する国が多い。

「何者」かになる利点

僕の知人に「ハブ空港」と陰口を叩かれる人物がいる。顔見知りの数は多いにもかかわらず、その人自身と一緒にいたい人は少ない。「ハブ空港」のように目的地ではなく経由地にされてしまっているのだ。

僕自身、「ハブ空港」には感謝している。その空港経由で出会った友人がたくさんいるからだ。だけど、肝心の「ハブ空港」とは仕事をしたこともなければ、もう何年も会っていない。

理由は実際の空港と同じである。知人の「ハブ空港」さんには何も用事がないのだ。ハブ空港でできることは、大抵、他の場所でもできるし、そっちのほうがレベルも高い。わざわざハブ空港に行く人は余程の物好きだ。多くの人は、空港ではなく具体的な目的地のために旅に出る。

朝井リョウさんの『何者』という小説がある。作中の就活生が「何者」かになろうと葛藤する物語だが、実際、「何者」かになると人付き合いは一気に楽になる。

僕は『絶望の国の幸福な若者たち』という本を出してから、社交が簡単になった。それは「若者についての本を出している人」「若者に詳しい人」といった一言で、自分が「何者」かを表現できるようになったからだ。自己紹介をする時も、他人に紹介される時も「何者」かであれば手間が省ける。

余談だが、そんな僕も35歳になった。自信満々に「若者」と言える年齢ではない。しかし年齢とは相対的なもの。誰と並ぶかで人は若くも見えるし、年寄りにも見える。「とくダネ!」で小倉智昭さんの隣に座れば、今でも「若者」に見える。「朝生」の田原総一朗さんも同じ。高齢者は大切にしたいものである。

同じように、もしも自分を若く見せたいなら骸骨みたいな老け顔の人と並べばいいし、痩せて見せたいなら力士に囲まれればいい。

話を戻す。「ハブ空港」さんは「何者」かがよくわからなかったのだ。しかし「何者」かになるのは決して難しいことではない。文字通り、「何か」をしている「者」なら誰でも「何者」かになることができる。

たとえば新潮社の出版部部長なら「背中がミシュランマンのよう」「前からも太って見えるが、横から見るとさらに太っていることがわかる」といった、親方キャラで有名である。

このように会社名や肩書きに加えて、何かの属性や特徴が一つあると人から認知してもらう可能性はぐっと上がる。

しかし重要なのはここからだ。その出版部部長には友人や知人がたくさんいるが、決して体型に惹かれて付き合っているわけではない（おそらく）。

何度も会う中で、人柄だとか知識だとかに触れて、その人を好きになっていくのだ。一言で表現できる「何者」かという説明がきっかけとなり、人付き合いは深まっていく。

そんな中瀬ゆかりさんだが（名前を出してしまった）、最近はダイエットに成功してしまったようだ。みるみる瘦せていると評判である。自称「デブ空港」という大切な特徴が失われていいのか心配だが、すぐリバウンドするので杞憂だろう。

（2020・2・13）

「中瀬ゆかりさん自身が、体型を一つのアピールポイントとしながらメディア出演をしていて、この原稿も本人の承諾を得て書かれたもので、類似した体型の方々を揶揄する意図はありません」と注釈をつけないとならない時代になりつつある。

第三章　コロナ騒動観察記

新型コロナ報道とニュースの限界

あるテレビ局員が来月、マカオに行く予定だという。しかし気になるのは新型肺炎の行方。中国を中心に被害が拡大しており、マカオや香港でも感染者が確認されている。その局員が関わる情報番組では、連日のように感染症の専門家が呼ばれていた。局員は特権を利用して「私、マカオへ行っても大丈夫ですか」と質問するのだが、興味深いのは専門家によって緊張感が違うこと。

ある人は「全然、大丈夫」と笑い、ある人は真面目な顔で「やめた方がいい」と言う。本当はマカオに行きたくて仕方がない局員は、楽観的な専門家の意見を信じることにしたようだ。確証バイアスとも呼ばれるが、人は自分に都合のいい情報ばかりを探してしまうものなのだろう。

偏見や思い込みから自由になることは難しい。

統計的には、飛行機事故よりも交通事故、竜巻よりも喘息、テロよりもインフルエンザのほうが多数の人命を奪っている。しかし多くの人は飛行機事故やテロを怖がるくせに、車ではシートベルトを締めなかったり、インフルエンザの予防接種を受けなかったりする。

特に新型肺炎は連日のようにメディアが危機感を煽ってきた。不安の声が高まり、デマが流行するのも理解可能だ。

これはニュースの限界なのだが、悪いことは一瞬で起こり得るが、良いことは一朝一夕では成し遂げられない(スティーブン・ピンカー『21世紀の啓蒙』)。つまりどうしても「悪いニュース」ばかりが世界を駆け巡ることになる。仮に数ヶ月後に新型肺炎が終息したり、数年後にワクチンが開発されても、その頃にはほとんどの人が病気に対する関心を失っているだろう。その頃、メディアはまた新しく発見した「悪いニュース」に夢中なはずだ。それこそが「時代はどんどん悪い方向に向かっている」と人々が考えてしまう理由でもある。

結局、新型肺炎予防には、地味ではあるが手洗いを徹底し、できるだけ人混みを避けるといった方法しかない(「葛根湯が新型肺炎にも劇的な効果!」とかだったら、報道のトーンも変わったかも知れない)。

ちなみに感染症一般に関していえば、日本でパンデミックは起きにくいという説がある。ハグや握手よりもお辞儀を重視し、食事の時も箸を使うので手づかみの機会が少ない（井上栄『感染症』）。確かにヨーロッパでは、多くの人はマスクなんてしないし、レストランでおしぼりはまず出てこない。それなのに素手でパンを食べている。

新しい病気が、こうした昔からの行動様式を変えていくこともあり得る。

人々が移動する時代だ。新型肺炎が終息しても、これからも新しい感染症が世界中を悩ませていくのは間違いない。しかし感染症の予防法には共通点が多い。

そういえば近未来を描いたSF小説で、テレビ会議が当たり前になる中、握手ではなくお辞儀が世界的に流行するという描写もあった。21世紀はお辞儀の時代になるのかも知れない。

（２０２０・２・20）

僕が初めて新型コロナウィルスについて意見を求められたのは、２０２０年１月11日に出演した「サタデーステーション」。急遽入ってきたニュースだったのだが、準備もなく咄嗟に「感染症対策の基本は手洗い」と言えた自分を、少し褒めてあげたい。東アジアでコロナの流行が抑制された理由は未だに判明していない。

ＡＩアーティストは「冒瀆」なのか

ＡＩ美空ひばりにＡＩ手塚治虫。故人をＡＩで「復活」させる試みが盛んだ。紅白歌合戦ではＣＧのひばりさんが「あれから」という新曲を歌った。過去の音源をＡＩに学習させ、声や歌い方を再現したのである。

ＡＩ美空ひばりには賛否両論が巻き起こったのだが、批判意見の多くは感情的なものだった。歌手の山下達郎さんはラジオで「一言で申し上げると冒瀆《ぼうとく》です」とぴしゃり、ライターの武田砂鉄さんは「これはやってはいけないことだ」とエッセイで記した。

現役ミュージシャンである山下さんの気持ちは理解できる。おそらく自分が死んでも「ＡＩ山下達郎」にはなりたくないのだろう。

美空ひばりさんは１９８９年に亡くなっている。まさか30年後にＡＩで復活させられるなんて思っていなかっただろう。

ではひばりさん自身はＡＩでの復活を望んでいたのか。

それは「わからない」と言うしかない。何せ当時は現代のようなＡＩやＣＧ技術がなかったのだ。怒り出すのか、興味を示すのかは残された人々が推測するしかない。

武田砂鉄さんはエッセイの中で「故人に対し、とてつもなく失礼」「感動させる目的で死者に新しい言葉を与えてはいけない」と述べているが、どうして彼がそれを判断できるのか。AI美空ひばりに対して違和感を示す人もまた、自分なりの美空ひばりを「復活」させているのである。

そもそも死者を「復活」させることは何ら新しい試みではない。たとえば小説や伝記がその典型例である。現代人がイメージする「坂本龍馬」の多くは、司馬遼太郎の創作に依っている。どんな緻密な学術書でさえ、限られた資料を基に議論をする以上、歴史に関しては推測が混じらざるを得ない。

それは生きている人に関しても同じである。このエッセイでは山下さんや武田さんの言葉を引用したが、彼らが本当のところ、どう思っているかは想像するしかない。

もしかしたらAIアーティストを「冒瀆」だと考える人は、僕なんかよりもずっとAIを「本物」だと見なし、脅威を感じているのかも知れない。

AI手塚治虫に関しては、娘のるみ子さんは冷静なツイートをしていた。遺族がAI化を了解している旨を説明しながら「そもそも手塚治虫の新作って思ってないし。AI

なんだから」と言うのだ。

　ＡＩ美空ひばりもこれが全てである。新曲ではあるが、もちろん本人の歌唱ではない。「あれから」の作詞は秋元康さん。サビの「あれからどうしていましたか？」「私も歳を取りました」というフレーズには、みんなが会いたかっただろう「美空ひばり」が詰まっている。

　創作の基本は、現実には叶わない夢を見せることだ。その意味でＡＩ美空ひばりは、最高の創作だった。しかしＡＩアーティストをただの創作物ではなく、「本物」だと見なすなら、怒る気持ちもわかる。昔の人が「魂を抜かれる」とカメラを怖がったようなものなのだろう。

（２０２０・２・27）

現代において人は「死ぬ」ことができるのか。カズオ・イシグロの新しい小説『クララとお日さま』でも、他者の不死を願ってしまう人間の残酷さや歪さが、テーマの一つとなっていた。

お金があってもままならないこと

少し前になるが、タリーズコーヒーが「マスカルポーネティラミスラテ」なる飲み物を期間限定で売っていた。乳製品好きとしては絶対に試してみたい。

しかし結局、販売終了まで手に取ることができなかった。値段は500円前後。金額の問題ではなく、カロリーと糖質に恐怖して、購入する勇気が持てなかったのだ。

林真理子さんには負けるが、僕もダイエットが趣味。日頃、楽して痩せる方法を探している。この前は、ファスティング（断食）で痩せたという知人の噂を聞きつけて、トレーナーの先生の説明を聞きに行った。

しかしチョコ好きの友人と一緒だったのがよくなかったのか「どうしたら断食はうまくいきますか」と質問しながらも、手にはしっかりとチョコを握っていた。どう考えても痩せる気がないと思われたのだろう。その先生と今では疎遠だ。

昔、「欲しくても買えない」と言えば「高くて買えない」ものを意味した。値段で物事をあきらめていた。今では「高くて買えない」商品が減った代わりに、「買えない」

理由が若い頃と比べて増えてしまった。

人間は年を取るほど自由になるのだろうか。それとも不自由になるのだろうか。収入は増えても、身体が衰えたり、健康状態が悪化していくことは多い。資産を持っても、人生の冒険がしにくくなるという人はいるだろう。

だが「何も持たない者こそ挑戦できる」というわけでもない。たとえば日本における起業率は、若者よりも中高年のほうが高い。「起業＝若者」という一般的なイメージと違い、人脈も資金もある中高年のほうが会社を起こすのが容易なのだ。

しかも副業で始めた起業のほうが、成功率が高いという研究もある（アダム・グラント『ＯＲＩＧＩＮＡＬＳ』）。たとえばナイキの創業者は事業開始後しばらくは会計士としても活動していたし、グーグルやマイクロソフトの創業者は、起業後も大学に籍を置いていた。

ポイントは安心感らしい。「本業がある」と思えるから、副業ではどんどん新しいことに挑戦できる。一方で、退路を断って起業した人は、臆病になって新しい挑戦に怯えがちだという。

そもそも所属先が一つしかないという状態は、人を窮屈にする。他の選択肢があることは、心を穏やかにしてくれる。

難しいのは健康に関してはそれが当てはまらないことだ。身体は一つしかない。片方の身体では節制を心がけ、もう片方では暴飲暴食をしたり、怪しい医療にお金をつぎ込んでみる、なんてことはできない。

あるお金持ちに会って悟ったことがある。その人は肌は異様に綺麗だが、見事なまでに太っていた。どんなに資産と技術を投入しても、ダイエットだけは難しいらしい。

地道な努力は重要だ。というわけで、ここで耳より情報を一つ。最近、僕の周囲で流行っているのがカリフラワーライス。ただのカリフラワーなのだが、チャーハンやピラフにすると普通に美味しいと評判である。


（2020・3・5）

カリフラワーライスや、低糖質ソーセージなど、ダイエットによさそうなものを色々と試してみるが続かない。理由は簡単で、それほどおいしくないから。結局は高タンパク質と低脂質を気にするのが一番、リバウンドしにくい痩せ方だと思う（低脂質がすっごく難しいです）。

無能な善意

何度もリメイクされてきた「ファイナルファンタジーX」という人気ゲームがある。不滅の魔物「シン」を倒そうとする物語だ。

初期設定では、17歳になると死んでしまう疫病の流行する世界で、各地を治療しながら巡礼する少年少女のストーリーであったという。しかし、その治療法自体が人々を死に至らしめるものであり、主人公自身が気付かず病気をばらまいていた、という設定だった（『ファイナルファンタジーX・アルティマニア』）。

よかれと思った行動が、結果的に厄災を招く。物語ではそこに切なさがあるわけだが、これは実際の歴史でも珍しい出来事ではない。

手洗いの習慣や消毒法が確立される前は、医療従事者自身が病気をばらまくことも珍しくなかった。血や膿のついた汚い手で医者が手術をしてしまうため、病院こそが敗血症の温床だったのである。イギリスの外科医、ジョゼフ・リスターの発案で無菌外科手術が実現したのは、19世紀後半である。

そう考えると、近代医学が確立するまでは、医療が救ってきた人の数は、害を与えてきた数に負けるのかも知れない。梅毒患者を水銀に入れたり、妊婦の静脈にブランデーを注射したりと、トンデモ医療の例は枚挙にいとまがない。

しかし、現代人も過去の人々を笑ってはいられない。

エボラ出血熱の流行初期、ある村の犠牲者のほぼ全員が、教会病院の助産所でビタミン注射を受けていたことがわかった。調べてみると、修道女はガラス製の注射器を毎朝、煮沸消毒していたが不十分だったらしい。しかも使用後は滅菌水で簡単にすすぐだけで、一日中使い回しをされていた（『ビジュアル　パンデミック・マップ』）。

感染症の歴史を紐解いていくと、「ファイナルファンタジー」の初期設定のように、よかれと思った行為が流行拡大を招いてしまうのは珍しくないことがわかる。むしろ明確な悪意によるバイオテロは、地下鉄サリン事件などの例外はあるが、事例としては非常に少ない。

この冬、列島を騒がせている新型コロナウィルスによる肺炎も、多くの人のよかれと思った行動が、感染拡大を招いている。

自分が新型肺炎だという診断が欲しくて病院を渡り歩いた人。体調が悪いにもかかわらず満員電車で仕事に向かう人。パニックになることや経済への影響を警戒し、情報統制を敷こうとした中国の役人。目の前で起こる出来事への対処に精一杯で、ダイヤモンド・プリンセス号の現場を混乱させてしまった日本の厚生労働省。

そこに無能や無策な人はいるが、とんでもない悪人がいたとは思えない。

「地獄への道は善意で舗装されている」とはよく言ったものだと思う。この格言には、善意の裏側に悪意が隠されているという解釈と、善意の行為が意図されざる結果を招くという二つの解釈がある。実際には、後者のほうが圧倒的に多いのではないか。不滅の魔物「シン」とは、人間の、無能な善意なのかも知れない。

（2020・3・12）

満員電車に関しては、当初心配されていたほど感染リスクが高くないことがわかってきた。基本的に全員がマスクをしている上に、大声で話す人がいないからだ。ただしコロナに関係なく、「体調の悪い人が出掛ける」という行為自体がなくなるといいと思う。ダイヤモンド・プリンセス号の現場の奮闘については瀧野隆浩『世界を敵に回しても、命のために闘う』に詳しい。同書は岩田健太郎さんの善意に対して手厳しい。

人生は意外とローリスク・ハイリターン

人生はリスクに満ちている。街を歩けば交通事故に遭うかも知れない。連続殺人犯に襲われる可能性だってある。もちろん悪い病気に感染するリスクもある。

家の中も安全ではない。浴槽での溺死、餅による窒息死、窓からの転落死などの危険に満ちている。実際、家庭内の死亡事故は交通事故よりも多い。

日本列島に住む以上、いつ大地震が起こるかわからないし、台風や豪雨の天災も油断できない。現代の科学でも、地震や津波を止める手立てはない。大いなる自然災害の前で、人間は逃げ惑うくらいしかない。

日本脱出も大変だ。多くの国は日本よりも治安が悪く、どんな事件に巻き込まれてもおかしくない。飛行機はいつ墜落するかわからないし、ハイジャックやテロも起こり得る。クルーズ船は沈没することもあるし、疫病の流行にも弱い。

しかし、このような無数のリスクがありながら、なぜ人類は今日まで滅亡していないのだろうか。なぜほとんどの人が元気に毎日を送れているのだろうか。

それは、ほとんどのリスクが極めて低い確率でしか発生しないものだから。特にテロや殺人事件で命を落とす確率は極めて低い。

日本では１年に約１４０万人弱が命を落とすが、死因の１位は癌などの悪性新生物、2位が心疾患、３位が老衰である（２０１８年）。

ほとんどの人は、余程のことがない限り死なない。唯一の例外は年齢である。いくら平均寿命が延びたとはいえ、年齢を重ねるほど死亡リスクは上がっていく。

それでも厚生労働省の発表する簡易生命表によれば、50歳男性が１年以内に死ぬ確率は０・２％、65歳で１％、75歳でも２・７％だ。女性の場合、50歳で０・１％、65歳でも０・４％、75歳で１・２％である。90歳になっても９・３％だ。

どうして、人はこんな低いリスクに過敏に反応してしまうのか。それはリスクをゼロにすることが極めて難しいからだろう。あらゆる事故に遭わず、病気にもかからずに一生を過ごすのは難しい。しかもリスクは、いつ誰のもとで顕在化するかわからない。

マンガ『こち亀』に登場する根《ね》画《が》手《て》部《ぶ》不《ふ》吉《きち》という警官は、極端にネガティブな性格。地震の予兆を知るために多数の動物を飼育、震度１でも大騒ぎする。不審者の襲来を恐れ、夜は消火器を持ちながら防護スーツで眠る。警官であるにもかかわらず、災害時に暴徒化した市民から身を守るためにバットや手榴弾まで持ち歩く始末だ。

心配性の人は彼のように生きてもいいだろう。実際、新型コロナウィルスに過剰反応している世界の状況を見る限り、根画手部不吉というマンガのキャラクターを現代人は笑えない。

だけど統計的に言えるのは、人生とは総じて「ローリスク・ハイリターン」ということだ。街での買い物やライブ。友達とのランチ。海外旅行。世界には楽しいことがあふれている。ローリスクを怖がりすぎてハイリターンを逃すのはあまりに勿体ない（ただし自己責任で）。

（2020・3・19）

高齢化が進む日本では、総死者数は年平均2万人程度増え続けていたが、何と2020年には減少に転じた。11年ぶりのことだという。政治は結果責任というが、公衆衛生の観点からだけ考えれば、日本のコロナ対策は大成功だったということになる。

陸前高田のこれからを考える

「とくダネ!」の取材で岩手県の陸前高田と釜石に行ってきた。

どちらも初めての訪問だ。だから、東日本大震災前に町がどんな様子だったのかは記録でしかわからない。陸前高田には歌手・千昌夫さんも出資するリゾートホテルがあったので、司会の小倉智昭さんは何度も訪れていたらしい。風光明媚な松林が印象的だと言っていた。

そういった過去を一切知らない僕にとって、二つの町は北欧を思い出させた。ノルウェーやフィンランドは首都でこそ人口60万人を超えるが、地方では数万人も住んでいれば「大きな町」というイメージだ。

何年か前、北ノルウェーの小さな町々を巡ったことがあるのだが、整然とした街並みをよく覚えている。その印象が陸前高田や釜石に重なった。

陸前高田は沿岸部を中心に300ヘクタールが盛り土された。ディズニーランドとシーを合わせて約100ヘクタールだから、その広大さがわかると思う。一時期は、町中に造成用のベルトコンベアが設置され、大量の土砂を運んでいた。

結果、完成したのは見渡す限り真っ平らな土地である。民家は少なく、真新しい行政施設や商業施設がぽつぽつと営業中。そして海岸沿いには、高さ12メートルの巨大防潮堤がそびえ立つ。

つまり視界のほとんどが人工物に覆われていることになる。東京都の臨海地区、お台場や豊洲とも似た雰囲気だ。北欧の町に近いと思ったのも同じ理由で、要は一定の都市計画に基づいて設計された統一感がある。

僕は嫌いではないが、それを「冷たい」と感じる人もいるだろう。高低差のある土地に、小さな家屋が密集している、よくある日本の町並みとは真逆だからだ。実際、現在の復興計画には、地元でも賛否両論の大論争があったという。

巨大防潮堤の近くには東日本大震災津波伝承館という博物館と、奇跡の一本松の「レプリカ」が建てられている。博物館の中には津波でペチャンコになった自動車や橋げたなども展示してあるが、写真や映像での説明がメインだ。

奇跡の一本松も、幹の一部は防腐処理を施された「本物」だが、枝葉は完全な複製。近付くと、すぐに人工物だとわかる完成度だ。

それでも残したことに意味はあると思う。広島の原爆ドームも取り壊しが検討されたことがある。しかし保存が決まったことで、今では世界的な平和のシンボルとなった。本当は長崎にも浦上天主堂という原爆遺構があったが解体撤去されている。長崎に限らず、多くの戦争遺構は開発の中で消えてしまった。代わりに戦争経験者が減少する頃になって、慌てて全国に戦争を記録する平和博物館が建設された。しかしインパクトの面で、博物館という「箱物」が、原爆ドームのような「現物」に勝つのは難しい。

新しい町になった陸前高田は、これからどんな歴史を歩んでいくのだろう。再開発された町好きにはおすすめだ（どれくらいいるのかは知らないけれど）。

（２０２０・４・２）

何をリアルと感じるかは世代や時代によって違うのだろう。映画『シン・ゴジラ』では、リアリティを出すために、わざとｉＰｈｏｎｅで撮影したシーンがある。これからの時代、複製された「現物」と、スマホで撮影された動画、そのどちらが記憶の継承に有効なのだろう。

瓦解した「理想のヨーロッパ」

本当は今頃、ヨーロッパにいるはずだった。世界でも評判の脱出ゲームのために、ギリシャを訪れる予定だったのだ。

2月下旬までは、ヨーロッパで新型コロナウィルスによる肺炎で初の死者が出たのは2月15日。しかしそれほどの危機感もなかった。むしろ心配だったのはアジアからの訪問者が隔離される危険性だ。実際、3月5日にハンガリーで咳をしていた日本人グループ15人が病院に隔離されるという事件も。

それからの1ヶ月は映画のようだった。それは、漠然と人々が夢想していた「理想のヨーロッパ」が瓦解する期間でもあった。

欧州はよく「高福祉高負担」の福祉国家として紹介される。実際、税金が高い代わりに保育園が充実していたり、大学や病院がほとんど無料という国も多い。

しかしそれは医療水準の高さを意味しなかった。イタリアは国民負担率の高い国の一つであるが、新型コロナに対しては実質的な医療崩壊が発生し、多くの死者が発生してしまった。フランスやスペインも危機的な状況である。

21世紀の欧州各国では福祉国家の「縮小」が進んできた。それが今回の医療崩壊の遠因ではないかという指摘もあるが、少なくともヨーロッパを「理想の福祉国家」と考えることはできなくなってしまった。何せ危機の時、国民の命さえも救えないのだから。

ヨーロッパには、人権意識の進んだ国々というイメージもあった。

しかし有事の際には、国家の強権がいとも容易く発動できるようだ。フランスやイタリアでは外出禁止令が出され、警察当局が違反者を取り締まっている。ポーランドでは自宅隔離対象者向けのアプリも登場した。海外から帰国するなどした人は、在宅を証明する写真を当局に報告する必要があるのだという。

1月に武漢が封鎖された時、日本のメディアは「中国だからこんなことができる。民主主義国家には無理」という反応だった。しかし日本が民主主義のお手本とした欧州が、中国と同じように個人の人権を大幅に制限している。

日本の専門家会議の発表によれば、新型コロナに感染しやすいのは「換気の悪い密閉空間」「人が密集」「近距離で会話」という3条件が揃った時。疫学的に外出禁止はやり過ぎのように思える。どちらにせよ、ヨーロッパの国々はやる気になれば、それくらいの強権はすぐに発動できてしまうのだ。

日本では、人口当たりの病床数やＣＴ保有数が非常に多く、概して現場の医療従事者は優秀なことが改めて確認された。戒厳令がなくても、ただの「お願い」に過ぎない自粛要請にも多くの人々が従っていた。

単純な「日本すごい」という話ではない。裏を返せば平時から高い社会保障費が発生しており、同調圧力の強い社会ということでもある。いずれにせよ、完璧な理想郷なんて、世界中のどこにもなさそうだ。

当面の間、脱出ゲームどころか、日本からの脱出も叶いそうにない。

（２０２０・４・９）

日本の感覚からすると、ヨーロッパは平時から「医療崩壊」と感じられるような国が多い。体調に異変を感じても診療所の予約が取れるのは何日も先、しかも専門医を紹介してもらうには数ヶ月かかるという場合もある。日本のように医療へのフリーアクセスが保障されている国は一般的ではない。ただし社会保障費や平均寿命の違いなどを鑑みて、本当に日本の医療が素晴らしいのかを考える時期に来ている。

通常運転の安倍昭恵さんにほっとする

久しぶりに安倍昭恵さんがニュースになっていた。東京都が花見自粛を求める中、有名人たちと私的「桜を見る会」を開催していたというのだ。確かに記事の写真を見る限り、艶やかな桜を背景に、笑顔の男女が並んでいる。

「こんな時に自由すぎる」「立場をわきまえろ」といった批判が殺到したのだが、僕は少しほっとしてしまった。なぜなら「こんな時」にも昭恵さんがいつも通りだったからである。

マーセル・セローの『極北』という小説にこんな一節がある。「まわりのすべてが崩壊してしまったとき、人をまっすぐ立たせておいてくれるのは、決まった習慣だ」。

村上春樹さんが翻訳したことでも話題を集めた物語だが、舞台は近未来の極北地域。文明から離れた荒廃した街で主人公は暮らしている。しかし「絶望に呑み込まれてしまう」のを避けるため、無駄とも思える日々の習慣を大切にしているというのだ。

現代人の日常も習慣の積み重ねで成立している。電車での通勤や会社での雑務や同僚への悪口。しかし有事においては、習慣が成立しない。当たり前だったことが非常識になり、奇妙だと思われていたことが推奨されるようになる。

以前から僕は、キスは唾液の交換なので避けたい、現金は汚いから使いたくないなどと発言してきた。誰かと握手をした時はアルコール消毒をするようにしていたし、トイレのドアノブを触らないように腐心してきた。ネットニュースになるくらい奇矯とされた行動は、すっかり常識になってしまった。そんなご時世である。

にもかかわらず、昭恵さんはいつも通りだった。何か目立つ行動をする、メディアやSNSで大バッシングが起こる、夫が国会で釈明をするという一連の流れまで完全にいつもと一緒。もはや伝統芸能のような雰囲気さえある。

当たり前が壊れていく時代には、そんなベタでお決まりの出来事が一服の清涼剤になる。ちなみに首相答弁によれば、昭恵さんはいわゆる「お花見」をしたわけではなく、桜の木が植えられたレストランで食事会をしただけのようだ。写真が撮影された時点では夜間の外出自粛も呼びかけられていなかった。

その意味で、経済を回すことに貢献していたとも言える。バランスの見極めは難しいが、疫病が人を殺すように、不況も人を殺す。結果的にどんな行動が正解だったのかは、未来人にしかわからない。

ちなみに僕がこの文章を書いてから雑誌が発売されるまでに約10日ある。たった10日後のことも予測しにくい時代になってしまった。コロナ対策に「お肉券」や「お魚券」なんて、どんなSF作家も思いつけなかったはずだ。

だけど願うのは、10日後も軽率と見える誰かの行動を笑う余裕が社会にあって欲しいということ。たとえ疫病予防という大義名分があっても、過剰に誰かの不謹慎を責め立てる社会は息苦しい。

（2020・4・16）

その後、昭恵さんを含めて何人かでご飯を食べた時のこと。領収書をもらう段になって、昭恵さんが「いりません」と言った後、「『桜を見る会』でもらわなくていいんですか」と聞いて、場を凍り付かせてしまったことがある。

誰より国家を信じていた人たち

「緊急事態宣言」が発出された4月7日の夕方、フジテレビにいた。緊急特別番組に出演するためだ。僕は「コロナという名目で、堂々と他人と距離を取れて心地いい」と冷めた発言をしたのだが、共演した木村太郎さんは「宣言はウィルスに対する宣戦布告だ」と盛り上がっていた。

毎日新聞の世論調査によれば、宣言が出されたことを「評価する」人は72％に上ったものの、時期が「遅すぎる」と考える人も70％いるという。要するに、この宣言を大半の国民が待ち望んでいたわけだ。

しかし不思議なのは一部の「リベラル」や「左翼」だと思われていた人までが声高に「早く緊急事態宣言を出せ」とか「欧米のようにロックダウンをしろ」と主張していたことである。

日本の「緊急事態宣言」が個人に対してできるのは自粛要請。しかし主権が部分的に侵害されるのは間違いない。たとえば千葉市長はツイッターで「夜のクラスター発生を防止するべく、県警に対してナイトクラブ等への一斉立ち入りなどの取り締まり強化を要請しています」と述べていた。この発想が一歩進めば、街を出歩く人々に対して警察が活動の「自粛」を求める、といった事態もあり得る。

筋金入りの国家主義者がこうした統制を歓迎するのは理解可能だ。しかし「安倍総理はヒトラーだ」などと主張し、国家主義を警戒していた人までが「緊急事態宣言」や「ロックダウン」を待望するのはなぜなのか。

もしかしたら、彼らこそ「国家」を信頼していたのかも知れない。過剰に安倍政権を警戒していた人には、「悪いやつら＝実は賢いやつら＝何でもできるやつら」という思い込みがあったのではないか。いざとなれば、安倍政権はすぐに戦争を起こしたり、徴兵を開始したり、国民を管理下に置くことができるとでも思っていたのではないか。

その陰謀論を反転させれば、今のコロナを巡る状況も、「国家さえ動けば全て解決する」という楽観論になり得る。だから「国家よ、さっさと何とかしろ」となるわけだ。口先ではいいことを言うものの、結局は先生頼みの「学級委員」にどこか似ている。

一連の騒動でわかったのは、日本はとても戦争など不可能な国であることだ。そして有事においては、大衆よりも政治家が抑制的であること、特に安倍総理は調整型のリーダーであることも確認された。疫病対策という大義名分があり、超法規的措置さえ許されそうな世論の中でも、多くの政治家や官僚は抑制的だった。「戦後民主主義」はしっかりと生きていたのだ。

僕自身、そのことが確認できてよかったと思っている。自由をあきらめた独裁制は、いい独裁者に巡り会えない限りは最悪だ。

もちろん「リベラル」や「左翼」も一枚岩ではない。きちんと「緊急事態宣言に異議あり」と首相官邸前でデモを行った人々もいたようだ。思想的に筋は通っているものの、疫学的にはあまり支持できないのが悲しいところである。

（2020・4・23）

「街を出歩く人々に対して警察が活動の『自粛』を求める」というのは現実の光景となった。さらに東京では飲食店に対する「見回り隊」が組織されたり、20時以降のネオン消灯や、コンビニでの酒類販売自粛が求められたり、すっかり戦時下の様相を呈している。ちなみにデモは屋外で行われるため感染リスクは低いと思われる。

ほとんどの旅は不要不急だけれど

旅ができない時代だ。

せっかく時間があるので、これまで訪れた場所の写真を見返していた。iPhoneをスクロールしていたら、ノルウェーで船を間違えたことを思い出した。2016年、夏至の頃の話である。

よくある乗り間違えといえば、浜松町駅で山手線に乗るところを京浜東北線の快速に乗車してしまい、数分をロスしたとか、その程度のものだろう。しかし船の間違えは、もう少しだけ大変だった。

その日、僕はボーデというノルウェー北西部の港町から、ロフォーテン諸島へ高速船で移動する予定だった。曇り空の港町には興味を惹かれるものは少なく、予定よりもだいぶ早く船乗り場に着いてしまった。これが間違っていた。

受付で買ったチケットをやる気がなさそうな係員に見せて、船に乗り込む。出航まで1時間近くあるはずなのに、やけに座席が埋まっている。本来はそこで違和感を抱くべきだった。

乗り込むとすぐに高速船は港を出た。夏季だから臨時便が出ているのかとも思ったが、さすがにおかしいとGPSを確認すると、船が南に向かっていることがわかった。ロフォーテン諸島は北西にあるはずだ。

もしかしてと船の時刻表を検索してみると、乗るはずだった高速船よりも約1時間前、南へ向かう船が同じボーデから出航していることを知った。航路を確認する限り、どう考えてもこの船である。

大変だと騒ぎたかったが、一人旅なので黙るしかない。大学時代、ノルウェーには1年間住んでいたが、時刻表には一度も聞いたことがない地名が並んでいる。船は1日1便の運航で、今日はもうボーデに戻れないし、ロフォーテン諸島に行けないこともわかった。

各寄港地のホテルを調べていくが、どれも小さな村や島ばかりで、きちんとした宿泊施設は見当たらない。Airbnbもチェックするが、1時間後に泊まれるような場所はない。

そうしているうちに船の最終目的地がサンネシェーンという人口約8000人の大きめの町だということがわかった。ホテルも二つある。結局、5時間半かけてその町へ向かうことにした。

日が沈まない夏のノルウェーで、船窓には風光明媚《めいび》なフィヨルドが広がる。しかし、見慣れてしまえばただの岩のかたまりなのだろう。現地に住んでいると思しき乗客はみな景色など無関心というように、深く眠り込んでいた。

22時前、白夜のせいでまだ太陽が眩しい町に船は着く。そして翌朝6時半、昨夜と変わらない明るさの港で、昨日と同じ高速船に乗り込む。昨日と変わらない景色を見ながら、昨日もいた町へと戻るために。

あの乗り間違えを懐かしく思う。ただの無駄でしかなかった寄り道。しかし旅自体、ほとんどが不要不急だ。だから世界中の人々が控えている。コロナ騒動が終わった後、僕たちは再び旅に出るのだろうか。それとも家にいることに慣れ過ぎて、旅が古臭い慣習となっているのだろうか。

（2020・4・30）

ＧｏＴｏトラベルの盛り上がりを見る限り、旅に出たいという欲望はしばらくの間、消えることはなさそうだ。また世界的にも家計貯蓄率も上昇しているだろうから、コロナ終息後には空前のインバウンド消費が盛り上がってもおかしくない。

コロナがもたらした「いい変化」があるとすれば

いいとこどり、というのは中々難しい。最善の選択肢を選んだはずが、後から思わぬ欠点に気が付くことがある。資産管理に頭を悩ませて疑心暗鬼になるお金持ち。常に好奇の目にさらされ自由がない有名人。「夢の向こう側」に、必ずしも幸福な生活が待っているとは限らない。

一方で、どれほど悲劇としか思えない状況の中でも、何かしらの希望はあるものだ。世界は新型コロナウィルスの影響で大変な状況が続いている。経済は停滞し、人々はいがみ合い、息苦しさが世の中を覆う。目を覚ますたびに、「世にも奇妙な物語」の中に迷い込んでしまったような気分にさえなる。

だけど最近は、この状態がしばらく続いてもいいと思うようになってきた。明らかに「いい変化」も起こりつつあるからだ。

たとえば無駄な会議や打ち合わせが減った。どうしても必要ならZｏｏｍなどビデオ会議で済ませればいい。移動時間がなくなるので、遅刻も減る。小刻みにスケジュールを入れていくと、対面ではあり得なかったほど効率よく人と会うことができる。

それはプライベートでも同じだ。ある晩は、友人とLINE通話で2時間話し込み、その後はタレントの千秋ちゃんとインスタライブをして、そのあとすぐ俳優の城田優くんともインスタライブ。実際の夜の席で3軒のハシゴは少し嫌な感じだが、ネット上だと全くそんなことはない。

しかもオンラインでできることが増えている。最近はインターネットの脱出ゲームをした。オランダの企業が提供しているもので、参加者がハッカーとなり、無実の囚人の脱獄を手助けするという内容。何と画面の向こうには実際に俳優さんが控えている。

参加者は声でメッセージを送りながら、うまく囚人や看守を誘導していく。彼らはオランダにいて、僕たち参加者はそれぞれの家。意外とわくわくした。

脱出ゲームをした友人とはビデオチャットをつないだまま、一緒にゲームをしていた。画面は接続しているが常に喋り続けるわけではなく、必要な時にヒントをもらったり、ちょっとした話をする程度。

さらに「M　愛すべき人がいて」（テレビ朝日系）というドラマも一緒に観た。ビデオ通話越しで感想を共有し合っていると、さながら一緒にいるかのよう。Zoom会議とは対照的な非効率極まりない時間だ。

実はこの原稿を書きながら、Ｈｏｕｓｅｐａｒｔｙというアプリで友人と画面をつなげたままでいる。特に何かを話すわけでもない。ある友人はＹｏｕＴｕｂｅを観ていて、別の友人はカレーうどんを食べている。

もちろんこんな生活は一生続けられない。友人との関係を維持することはオンラインでも容易いが（昔の人は年賀状だけで知人とつながっていた）、一からの関係構築は難しい。

なんてことを書いていたら、Ｈｏｕｓｅｐａｒｔｙの向こうで新しいゲームが始まりそうだ。というわけで今週はこのあたりで。


（２０２０・５・21）

すっかりＨｏｕｓｅｐａｒｔｙはしなくなってしまったが、２０２１年初頭にはＣｌｕｂｈｏｕｓｅが流行していた。このようなサービスには栄枯盛衰があるものの、リモート会議の習慣はコロナ終息後も続くと思う。

締め切りのある人生を送る

「締め切りのある人生を生きてください」

歴史学者の佐藤卓己さんが教鞭を執る大学の卒業生に贈る言葉だという。佐藤さんとは一度しか会ったことがないのだが、折に触れてこのフレーズを思い出す。

人によって、締め切りとは嫌なものだろう。『〆切本』という書籍では、文豪たちがどんな言い訳を使って締め切りと向き合ってきたか（どう破ってきたか）が紹介されている。

たとえば作家の高見順の日記はこんな具合だ。毎日、友人との食事や観劇には行っているのに、全く仕事が進まない。それで結局「どうしても書けぬ。あやまりに文芸春秋社に行く」と諦めてしまう。ひどいな。

しかし締め切りに文句を言う人たちが、何の時間的制約もなく名作を生み出せたかといえば、そうではないだろう。古今東西、名作を残したアーティストは一般的に多作である。漫画家の手塚治虫も締め切りを破ることで有名で、「手塚おそ虫」と陰口を叩かれていたらしいが、締め切りが数々の傑作を誕生させてきた。

作家に限らない。もしあらゆる仕事に締め切りがなかったら、社会は回っていかない。新しい服が店頭に並ぶのも、雑誌が出版されるのも、電車が時間通りに動くのも、全ては締め切りがあるからだ。

さて、このコロナ騒動でいつもより時間ができたという人も多いと思う。その間にどれだけのことができただろうか。

「時間がない」と言い訳をして、仕事が遅かった人がいる。僕の観察している限り、彼らがこの期間にバリバリと成果を上げたという話は聞かない。曰く「コロナのことが気になって仕事が手につかない」。問題は時間ではなかったのだ。

それにしても、新型コロナウィルス終息の目処は立っていない。いわば、締め切りのない日々を送っているようなものだ。街を歩くと休業期間が「当面の間」と書かれたビラをよく目にする。「当面」とはいつまでなのか。

震災復興であれば、少しずつでも社会が元に戻ったり、よくなっていく様子が見えた。今よりも1年後がマシになっていると自信を持って言えた。

しかしコロナの場合、いつが最悪の状態なのかが見えにくい。この原稿を書いている時点で、実効再生産数から見る日本の流行のピークは3月末だと言えるが、そのうち第2波が来ない保証はない。

悲観的な予想では、このような状態が2年から3年、中には10年続くのではないかと考える論者もいる。仮にそうなったら、仕事から恋愛まで生活様式はまるで変わるだろう。専門家会議が「新しい生活様式（恋愛編）」として「出会いはアプリで」「キスは決死の覚悟で」「セックスは年に二人まで」などの提案をしてくるかも知れない。

現実的なことを言えば、社会に締め切りがない時代には、個人的な締め切りを多く設けたほうが精神衛生上いいのかも知れない。僕は週1度の、このエッセイの締め切りに感謝している。

（2020・5・28）

「新しい生活様式（恋愛編）」の発表はないが、灯火管制や禁酒法に近い呼びかけは実施された。この勢いだと「ラブホテルの営業自粛」「マスクセックス」が求められても驚かない。感染症対策は、恋愛禁止や家族解体の夢を見る。

演説上手なリーダーは実は危険である

政治に対する信用度が低下している。

世界では新型コロナウィルスの対応を巡り、リーダーへの注目が高まっている。ニューヨーク州のクオモ知事、ドイツのメルケル首相など名を上げた指導者も多い。

しかし、その中で日本の安倍首相だけは評価が低迷している。アメリカの調査会社が発表した国際比較でも、支持率の下げ幅が断トツだった。

一見すると不思議である。少なくとも現時点において、日本のコロナ政策は失敗したとは言えないだろう。他の東アジアの国々と同様、感染者と死者を低く抑え込んでいる。

しかも経済対策に108兆円を投じることが発表されており、GDP比で考えると世界最大規模だ。政府の財政出動だけを見ると金額は下がるが、普段から重税のヨーロッパ諸国と比して遜色のない「補償」を国民や企業に対して講じることになる。

比べて、欧米のほとんどの国は、疫学的にはコロナ対策に大失敗した。成功例とされるドイツでさえ、人口100万人当たりの死者数は日本の15倍以上である。ニューヨークに至っては、遺体の処理さえもままならなかった。

なぜコロナ対策に「成功」したはずの日本で、リーダーが評価されていないのか。

一つは語り口かも知れない。クオモ知事の会見は頼もしく、メルケル首相のスピーチは聡明に思えた。政治は結果責任と言われるが、実際は結果という「過去」などではなく、根拠薄弱でも力強く「未来」を語る指導者が好まれるのだろう。

本当は危険なことだと思う。仮にこれが戦争だった場合、勇ましく戦火を広げるリーダーよりも、口下手でも犠牲者を抑えられるトップのほうがいい。

日本の弱点を再確認した人も多いのだろう。この国では、布マスクを国民全員に配るのに何ヶ月もかかることがわかった。マイナンバー制度の中途半端さもばれてしまった。行政手続きのＩＴ化が全く進んでいないこともわかった。4月までは保健所に対するコロナ発生届がＦＡＸでやり取りされるありさまだった（本当、信じられないよね）。

このように爆発した不満が政治に向いているのだろう。確かに政治の不作為を批判することはできる。ではどうしたらいいのか。

提案1。政治が信じられないというなら、最も信頼度や好感度の高い人に名誉大統領をやってもらう。内村光良やマツコ・デラックス、池上彰あたりだろうか。

少し真面目に提案2。国会議員の報酬を10倍にする。現在、国会議員の歳費と手当は約2200万円。それに自由度の高い経費を合わせると「年収」約4000万円。非常に高額ではあるが、国で最も優秀な人を集めるには足りない。

トップ経営者や研究者は億単位の報酬を得ている。彼らにリスクを冒してでも政治家になってもらうのに4億は必要だろう。代わりに議員数を10分の1にしてもいい。中途半端な目立ちたがり屋に払う4000万円ほど無駄なお金もないと思う。合い言葉はノーモア杉村太蔵。

（2020・6・4）

2021年になってクオモ知事は介護施設における死者数隠蔽疑惑、セクハラ告発など相次ぐスキャンダルに見舞われた。メルケル首相の求心力もすっかり失われた。「全ての人を常に騙すことはできない」というリンカーンの言葉（p．160）を噛みしめてしまう。

ダイエットに成功して考えたこと

この1ヶ月間で4kgほど痩せた。要はダイエットに成功したわけだが、あまり達成感がない。なぜなら「そりゃ痩せるだろうな」という行動をしていたから。

まず、チョコレートなどの甘いものを、プロテインとフルーツに置き換えた。パナソニックのタンブラーミキサーを使っているのだが、ここにイチゴやバナナ、パイナップルなどフルーツを入れる。コンビニで売っている冷凍ブルーベリーでもいい。そこに粉末プロテイン、氷を二つか三つ、そして水を入れる。お好みでシナモンやココアをまぶしてもいい。

ミキサーに10秒くらいかけると、信じられないくらい甘いスムージーができる。チョコレート（普通の人の主食に相当）の代わりに朝や昼に飲んでいるのだが、とても満足度が高い。

プロテインのダイエット情報を教えてくれたのは、「とくダネ！」で共演している橋口いくよさん。プロテインはあまり味が好きではなくて敬遠していたのだが、橋口さんに聞いたレシピだとデザートのように飲むことができる。

ついでに脂質も意識するようになった。糖質制限ダイエットでは脂質に目が行きにくいが、気にし始めると手に取る食品が大きく変わってくる。

これだけで体重は減ってきたのだが、調子に乗って運動量も増やしてみた。元々ジムには行かないが、できるだけ歩くようにしている。活動量計のＦｉｔｂｉｔによると、先週は合計９８９２８歩も歩いたらしい。

結果、４kg痩せたわけだが、ちっとも嬉しくない。毎日のようにあった会食がなくなった上で、プロテインやフルーツを摂取しながら運動量を増やしたら痩せるに決まっている。

しかも痩せたところで世界は何も変わらなかった。あまり他人からも気付かれないし、仕事も私生活もいつも通り。強いていえば、たくさん歩いた日は作業効率が落ちる。そういえば友人の映画プロデューサーもステイホーム期間中にファスティング（断食）をしていたが、全く頭が回っていなかった。

ダイエットとは生き方を変えることである。減量に成功したとして、問題はその生き方を一生続けたいか。しかも仕事に差し障りまで出てくるのなら、ダイエットなんて止めてしまったほうがいいのではないか。

この心境、まるで夢を叶えてしまったミュージシャンみたいだと思う。子どもの頃から憧れたステージに立ち、ヒット作品を連発する。いざ夢を叶えてみると、きらめく世界さえ退屈な日常になって、音楽の楽しさを忘れていく。それどころか一度は手にした栄光がいつ崩れるかに怯えている。

瘦せた後に訪れるのは、ただの日常。そして恐怖するのはリバウンド。なりたかったのはこんな状態ではない。好きなものを好きなだけ食べて、運動もしないで、それなのになぜか太らない。そんな魔法のようなダイエット法を探していたのだ。増量は一瞬だ。目下、この生活をいつまで続けるか迷い中である。


（2020・6・11）

クイズ作家の古川洋平さんが10ヶ月で48kgのダイエットに成功していた。112kgから64kgになったそうだ。しかし周囲からは「前の方がよかった」と言われることも多いという。夢を叶えた後の生活が、必ずしも幸せとは限らない。

「会って話すことが大事」なんて嘘

緊急事態宣言が解除されるやいなや、対面での打ち合わせを求められる機会が増えた。ある老舗雑誌からも、リモートではなく出版社まで来て対談をして欲しいと言われた。もちろん断ったのだが、物理的に「会う」という行為は、新型コロナウィルスくらいでは衰退しなかったようだ。

「人間はオンラインだけで相手を信頼することができない。だから実際に会って、向き合って話すことが大事なのだ」。そんな議論があるが、端的に言って嘘だと思う。

もちろん対面接触における情報量の多さは否定しない。ＺｏｏｍやＴｅａｍｓを使ったオンライン会議では、どうしても画質や音質に限界がある。参加者に不慣れな人がいると、議事進行がもたついたりもする。

しかし人類の歴史のほとんどは、「オンライン」以下の、非常に希薄な関係によって形成されてきた。

たとえば古代日本は一時期、中国と冊封関係にあったが、魏の皇帝と卑弥呼はただの一度も首脳会談なんて実施していない。大陸への渡航が命がけの時代、国のトップが平時に海外へ行くことはまずあり得なかった。

彼らがコミュニケーションとして用いたのは書簡や使者である。しかも日本の権力者が文字を使用するようになるのは、卑弥呼の時代からさらに数百年後だった。国と国が主従関係を結ぶという重要な意志決定さえ、当人が会わずに済ませていたのだ。

個人的な関係も同様である。国内の移動でさえ大変な時代、子どもが親元を離れて働きに出る場合、それが今生の別れということも多かっただろう。「親に定期的に顔を見せる」なんて規範が誕生したのはあまり昔のことではない。

人類の長距離移動が技術的に容易になったのは19世紀、大衆化したのは20世紀のことである。日本の総理大臣の外遊が一般的になるのは戦後のことだ。戦前における現職総理の海外訪問は伊藤博文の中国訪問、西園寺公望の満州視察、東条英機の中国や東南アジア訪問くらいしかない。昭和天皇も皇太子ではなく「天皇」として初めて海外を訪れたのは１９７１年である。

考えてみれば、インターネットやＳＮＳが普及するまで、日本の人々は「年賀状」という非常に脆弱なツールで関係を維持していた。年にたった１回、しかも下手をしたら

1行程度の短い言葉だけでつながっていたのである。

昔は電話料金も高かった。特に国際電話なんて数千円かかることも珍しくなかった。今や、コミュニケーションはほぼ無料と言っていい。

つまり、これほどに人間同士が密につながっている時代もないのだ。そんな中、わざわざ対面接触をすることに、どれほどの意味があるのか。新型コロナウィルスの騒動が収まっても、季節性のインフルエンザをはじめ、感染症のリスクはずっと続いていく。「人と会うこと=感染症をうつし合うリスクがある」とわかった今、どうしてもという人以外とは、永遠に会わなくてもいいかなと思う。


(2020・6・18)

オンライン会議では、相手の身長や匂いまではわからない。インターネット黎明期から匂いを体験させるツールは何度も開発され、全て失敗に終わってきた。視覚や聴覚に比べて、匂いの娯楽化は遅れたままだ。まあ、わざわざ体臭とか嗅ぎたくないよね。

「百合子」を望んだ日本社会

最近、やたら「百合子」の名前を聞く。友達とのＬＩＮＥでも、メディア関係者との会話でも、最頻出単語は「百合子」。もちろん小池百合子東京都知事のことである。

築地市場の豊洲移転騒動で世間を賑わせてから、しばらくは大人しかった小池知事であるが、新型コロナウィルス対策で再び大きな注目を浴びた。

最近は「密です」「東京アラート」など流行語大賞にも選ばれそうな単語を連発、本領を発揮してきた（何の「本領」なのかは措く）。

そんな中、ノンフィクション作家、石井妙子さんの『女帝 小池百合子』が出版され、話題となっている。「芦屋令嬢」という出自から、カイロ大学卒業など、数々の疑惑まで批判的に切り込んだ女性週刊誌的ノンフィクションだ。

ある友人の感想は「なぜこんな普通に嘘がつけるのか」。確かにこの本の内容を素直に信じるならば、小池知事の人生は何から何まで嘘で塗り固められている。

しかし僕の読後感はまるで違った。コンプレックスを持った主人公が、知恵を働かせ、機転を利かせて、人生のステージを軽快に成り上がっていく物語に読めたのだ。まるで『島耕作』。本当にマンガみたいな人生なのだ。だって、カイロ大学を普通に卒業するよりも、政治力と外交力で卒業を認めさせるほうがすごくないですか（どちらが真実かはわからないけれど）。

『女帝』は、百合子に確固たる信念がないことを批判的に描く（もはや僕にとっての彼女はマンガの主人公と同じなので、以下「百合子」と表記する）。確かに百合子が、本当はどんな政策を実現し、どんな社会を構築したい人物なのかは中々わからない。

しかし日本社会こそが、強い信念を持つ政治家を忌避してこなかったか。

政治とは「敵」と「味方」を区別して、何らかの政策を実現させようとすることだ。どんな決断をしようと国民が１００％賛成することはまずない。誰かの幸福は、別の誰かの不幸になり得る。

安倍首相は憲法改正への意志を表明するたびに強い批判にあう。有名人の政治的な発言を嫌がる人も多い。政治家を有名人の延長だと考えるならば「政治家に政治的な主張を持って欲しくない」という人も一定数いるのではないか。実際、ある市議会議員は「政治家は政治的発言をするな」と言われたことをツイッターで告白している。

その意味で「本当は何をしたいのかわからない百合子」というのは、有権者の望んだ姿であるのだろう。

あるドラマプロデューサーは早速、映像化の方法を考えていた。しかし『女帝』が原作となれば、さすがの百合子もＯＫを出すかわからない。

いっそ舞台設定を変えた創作にしてもいいかも知れない。「振り袖、ピラミッドを登る」ではなく「十二単、マチュピチュに登る」、「東京アラート」ではなく「大阪エマージェンシー」。もちろんエンディングは主人公が内閣総理大臣に指名される瞬間だ。その先を描く必要はないだろう。主人公自身もさして興味がなさそうだし。（2020・6・25）

引き続き、連続コロナ会見「百合子劇場」は絶賛人気コンテンツである。御年69歳の「高齢者」（２０２１年現在）。通常ならリタイアを考えてもおかしくない年齢だが、おそらく１００歳まで現役だと思って活動しているのではないか。確かにあと30年あれば総理の目もあるだろう。

「体制」でも「反体制」でもない「非体制」

「体制」と「反体制」という言葉がある。権力側に付くか、それとも権力に楯突くかという区分だが、実際には「非体制」という人が多いと思う。

新型コロナウィルスに関する騒動を見ていても、政府を称賛する人や、とにかく批判を繰り返す人に比べれば、積極的には意見を口に出さない「非体制」層が多数派だったのではないか。

最近、訳あってアジア太平洋戦争中に書かれた日記や証言を読んでいるのだが、戦時下であっても「非体制」派がいた。

1943年10月に明治神宮外苑競技場で有名な出陣学徒壮行会が開催された。兵員不足から、徴兵が免除されていた文系大学生らが戦地に送られることになったのだ。記録されている映像では、強い雨の降る中、悲壮感漂う若者たちが行進している。東条英機の無責任な訓示に対して、学生代表の江橋慎四郎は声を震わせ「生等もとより生還を期せず」「誓って皇恩の万一に報い奉り必ず各位の御期待に背かざらんとす」と応じた。

しかしこの学徒壮行会への参加は強制ではなかった。ある慶應大学の学生は「どうせ行っても東条首相の大したことない話聞かされるだけ」と思って、友人と日劇ダンシングチームのレビューに出掛けたという。今でいうダンスショーだ。曰く、入隊したら「女の子なんか見られない」から「踊り子の生脚を観に行った」(久野潤『学徒出陣とその戦後史』)。

もちろん彼も召集令状には従っているわけで、反体制とは言えない。しかし戦時下だからと言って、誰もが根っからの愛国者というわけではなかったのだ。

僕自身、必ずしも意見を口に出すことが素晴らしいとは思わない。現実世界に転がっている問題は、簡単に「賛成」か「反対」、「A」か「B」を選べるほどシンプルではない。「賛成でもあるし反対でもある」という人がいてもいいし、「その問題は考えたくない」という意見も尊重されるべきだろう。ある人にとっては大問題でも、別の人にとってはどうでもいいこともある。

しかし最近では「非体制」の権利が脅かされつつある。何か大きな社会的問題が盛り上がっている時、沈黙する人もまた裏切り者である、と批判されることが増えた。たとえば黒人差別撤廃を訴える「Black Lives Matter（黒人の命は大切だ）」運動において、アメリカ企業は積極的に声明を発表している。沈黙していることが問題への加担だと捉えられてしまうのである。

実際、出陣学徒壮行会をサボった若者も入隊後は空襲被害に遭ったり、数多くの仲間の死を目撃したりしている。確かに「非体制」は社会を変えないように見える。

ただし声を上げたからといって社会が変わるものでもない。怒りは人々を瞬間的に結びつけるが、その熱は冷却されるのも早い。そして運動が過激になるほど多数の「非体制」派は離れていくもの。

「誰の味方でもありません」という連載タイトルが不謹慎だと言われない時代が続いて欲しい。

（2020・7・2）

「非体制」は決して悪いことではない。翻って、「体制」や「反体制」というのは楽なのだろう。まるで機械のように、「この人は敵」「この思想はダメ」と思い込めばいいので、選択の必要がないし、最終的には責任の転嫁も楽だ。

「夜の街」が静かだった時代

この数ヶ月「夜の街」という言葉をよく聞いた。ウィルスが時間限定で流行するわけがないのに、「夜の街」にはネガティブなレッテルが貼られることになってしまった。この場合の「夜の街」とは「歓楽街」とほぼ同義だろうが、もともと「夜の街」はもっと多義的な語であったように思う。

１９９０年代半ばのＪ‐ＰＯＰには「街」という言葉が頻出する。当時の人々にとって「街」は現在以上に大きな意味を持っていたのだろう。

携帯電話やＰＨＳの普及は始まっていたが、今みたいにＳＮＳがあるわけではない。長文のメールを送れる機種が流行するのは２０００年代以降だ。そういえばワン切りで互いの所在確認をするという不思議な文化もあった。

あの頃は電話を切ってしまえば一人の時間が訪れた。携帯は、実際に対面するための副次的なツールだったように思う。その待ち合わせ場所が街だった。昼間は仕事があるから、仲間と会うのなら「夜の街」ということになるだろう。むしろ街以外で、「集う」

という感覚を持つことが難しかった。

さらに遡れば、携帯さえもない時代があった。上野千鶴子さんのエッセイ集『ミッドナイト・コール』を読むと、平成が始まったばかりの1989年の真夜中の様子がよくわかる。

まず「深夜、電話がすべて鳴りやむ。それからがわたしの時間だ」という文章に驚かされる。当時の人はそんなに電話をしていたのか。FAXのことは「深夜の二時、三時、カタカタと音をたててやってくるやさしい訪問者」と表現されている。今では印鑑と共に旧時代の遺物扱いされる物体が、夜の孤独を癒やしていた時代があったなんて。

今とは比べものにならないくらい、夜は寂しかったのだろう。電話もFAXも基本は一対一のコミュニケーションだ。深夜ラジオを聞いてもツイッターですぐに感想を共有できるわけではない。イメージでいえば、糸電話のような細い回線が街中を行き交っていたような状態だろうか。

その時代のことを少しうらやましく思う。そんな静かな夜は、文明が衰退でもしない限りは二度と訪れないだろうから。今年の春は一人の夜を過ごした人も多かったと思う。だけどチャットアプリやSNSのおかげで、誰かと集うことは容易だった。スマホやパソコンの電源を落とせば現代でも孤独にはなれるのだが、人類はボタン一つで世界中とつながれることを知ってしまった。

不思議なのは、それでも変わらずに「夜の街」は大盛況だということ。

ステイホームが呼びかけられた時期でも闇営業（法律違反ではないなら何が闇かと思うけど）をしていたホストクラブやキャバクラもあったというし、6月以降は歓楽街にも喧噪が戻ってきた。

いつか「夜の街」が衰退する日は来るのだろうか。人口減少の進む地方都市ではそれが現実のものになっている。過疎化した「夜の街」は、ネット上の賑やかすぎる夜を避けた人が逃げ込む場所になるのかもしれない。

（2020・7・9）

先日、Ｃｌｕｂｈｏｕｓｅにログインしたら、あるカリスマ経営者と、その人を週刊誌にリークしたはずの人が談笑していた。夜は何かが起こるらしい。「ミッドナイト・コール」文化は健在なようだ。

身近な人からの評価と世間の評価は一致しない

生放送にはトラブルがつきものだ。先日の「とくダネ！」でも小さな事件が起きた。CM明けにお天気コーナーが始まるというのに、気象予報士の天達武史さんがスタジオに現れないのだ。連絡もつかないという。慌てるスタッフ。

結局、後半のコーナーで放送予定のカピバラのVTRを先に流すことになった。おそらく視聴者にもバタバタした様子が伝わってしまったと思う。

カピバラのVTR中には天達さんもスタジオに到着し、無事にお天気コーナーが開始できることになった。そこで司会の小倉智昭さんがいつものように「アマタツ！」と呼び込むのだが、こんな言葉を添えていた。「私が天達と呼ぶべきところを、間違ってカピバラを呼んでしまいました」。冗談交じりに謝ったのだ。

お天気コーナーのドタバタに関して、小倉さんは全く悪くない。それでも司会者としてきちんと責任を負う。「自分の失敗は部下のせい、部下の手柄は自分のもの」という上司も多い中で、理想的なボスの姿と言えるではないか。

その様子を見ていて、悪名高いアベノマスクのことを思い出した。日本では内閣支持率が低迷しているが、きっかけの一つが布マスク配布だと言われている。

おそらく広報の仕方の問題だと思うが、とにかく「マスク2枚」は評判が悪かった。10万円の特別定額給付金を先に発表し、「おまけにマスクもつけておきました」と小さくアナウンスしていれば、これほどの批判は集まらなかったはずだ。ちなみにフランスでも全国民向けに布マスクを配布していたり、決して日本独自の政策ではない。ニューヨーク、ルクセンブルク、香港などでもマスクが配られている。

注目すべきは、安倍首相がきちんとアベノマスクを着用し続けていることだ。マスク配布を決めたのは「部下」であるはずなのに、何と言われようとマスクをつける。「いい上司」と言えなくもない。

ある男性弁護士がアベノマスクに関して「毎日、昭恵夫人が、外出もすることなく、かいがいしく、夫のマスクを洗濯しているのだろうか」とツイートし、古臭い女性観を露呈させていたが、実際には夫人ではなく、首相本人が毎日マスクを洗って干しているらしい。

身近な人に慕われているリーダーが、世間的に評判がいいとは限らない。有名人も同様で、現場のスタッフには好かれているのに好感度の低い人はたくさんいる。そういえば小倉さんも「嫌いな司会者」ランキングの常連だ。

支持率や好感度は「空気」の反映である。何か明確な基準があるわけではない。「悪名は無名に勝る」という言葉もあるように、ふとしたきっかけで「嫌い」は「好き」に反転するもの。最近では田中みな実さんが、鮮やかにアンチさえも味方にしてみせた。「空気」は本人の死後も変わり続ける。お札にまでなった聖徳太子だが、天皇家と敵対した蘇我氏に近かったということで、評価の低かった時代もある。２０２０年は未来からはどう見えるのだろうか。

（２０２０・７・16）

批判の多いアベノマスクだが、僕はその理念は評価している。２０２０年春、値上がりを見込んで大量のマスクを業者が出し惜しみをしていた。国家が強権的にマスクを徴用するのは現代にはそぐわない。そこで市場メカニズムを使って、業者にマスクを自発的に手放してもらうために、全戸へのマスク配布を宣言したのである。ちなみに「首相本人が毎日マスクを洗って干している」とは、地味ながら独自スクープだった。もちろん情報源は一人しかいないが。

マイナンバーカードの普及が進まない理由

マイナンバーカードの普及が進まない。制度開始が2016年だというのに、交付率は2020年の6月1日の段階で16・8%に留まる。

当たり前だと思う。メリットが不明瞭だからだ。カードを持つことで、具体的に何がどう便利になるかがよくわからない。

総務省のウェブサイトには「公平・公正な社会の実現」「行政の効率化」「国民の利便性の向上」という三つの意義がうたわれているが、3番目以外はユーザーには関係のない話。「行政の効率化」なんていう「お上の都合」をウェブサイトに堂々と記載してしまうあたり、決定的にセンスがないと思う。

日本で最も普及しているカードの一つに運転免許がある。取得には自動車学校に通ったり試験料を払ったり、多額のコストがかかるのに保有者は約8216万人。これは運転免許には「車やバイクを運転できる」という単純明快なメリットがあるからだ。

だが国目線で考えると、免許は国民の管理に有効な制度である。運転者のレベルを一定以上に維持できるし、違反者への取り締まりもしやすい。しかし「警察行政の効率化に協力しよう」と思って免許を取得する人はいない。

民間でいえばTカードの累計発行枚数は日本の総人口を超える。これも「TSUTAYAを経営するCCCにせっせと個人情報を提供して、マーケティングに役立ててもらおう」と思って登録する人は皆無だろう。ほとんどの利用者はTカードの発行時「ポイントがついてお得」くらいにしか思っていない。

翻ってマイナンバーカードは「お上の都合」が先行して始まった。特別定額給付金の申請時には大混乱が起こったり、悲惨な状態が続いている。

そりゃ普及しないのも当然だろう。今になって国は運転免許や国家資格証との一体化の可能性を探り始めたようだ。また、2021年からはマイナンバーカードが健康保険証代わりになるという。便利になっていいのだが、なぜ制度開始前に同様の議論を進めなかったのか。恐らく縦割り行政を壊しきれなかったのだろう。今度こそうまく行くかは見物である。

鳴り物入りでリリースされた新型コロナウイルス接触確認アプリ（COCOA）も、いかにも「お上」が作ったというクオリティだった。

普通、人は「いいこと」を期待してアプリを入れる。ゲームができるとか、電子書籍を読めるとか具体的なメリットだ。しかしＣＯＣＯＡで「いいこと」は起こらない。感染者と濃厚接触をした場合に通知が来るだけ。つまり「悪いこと」しか起こらないアプリなのだ。せめて通知があった人は医療機関で診察や検査が迅速に受けられるといった「いいこと」があれば、普及率も変わるのかも知れない。

偉い立場にある人ほど大局が見える。しかし見えすぎるあまり、ユーザーの目線を忘れてしまうことがある。政治家のうち何人がＣＯＣＯＡをインストールしたのだろう。

（２０２０・７・23）

ＣＯＣＯＡの顚末《てんまつ》はお粗末だった。アンドロイド版では２０２０年９月から４ヶ月間、陽性者との接触通知が届かないという不具合が発生していたのだ。任天堂やポケモン社、小学館あたりに協力を要請して、「遊んで楽しめる接触確認アプリ」を作れなかったものか。マイナンバーカードの交付率は２０２１年５月にようやく30％を超えた。

勲章はコスパのいい制度

古今東西、人を惹きつけてやまないものに名誉がある。権力者の巨大モニュメントからオリンピックのメダル、文学賞まで、この世界には名誉のシンボルがあふれている。

弘兼憲史さんの漫画『会長　島耕作』でこんなシーンがあった。島耕作が「経済連（モデルは経団連）の会長になると何かいいことがあるのでしょうか」と財界の重鎮に聞く。その答えとは「名誉」。具体的に言えば勲章の種類が変わるのだという。

桐花大綬章《とうかだいじゅしょう》は総理大臣、衆参両院議長、最高裁長官という三権の長に与えられるのが基本。そして経団連会長にはワンランク下の旭日大綬章《きょくじつだいじゅしょう》が授与されるのが通例なのだが、功績やコネクションによっては桐花大綬章をもらえるチャンスが出てくるという。

写真で見る限り、それほど格好いいデザインではない。しかも親授式では幅広のリボンを、肩から斜め掛けすることになる。保育園の終業式で園長先生からもらう、「よくできました」バッジのようだ。社会的地位の極めて高い高齢男性が、嬉しそうに赤いリボンを斜め掛けする様子は、非常に微笑ましく、生暖かい視線を送らざるを得ない。

勲章とはコスパのいい制度である。ほとんど原価がかからないにもかかわらず、人々の意欲を喚起し、公共のために頑張ってくれる人を増やすのだ。

露骨なのが紺綬褒章《こんじゅほうしょう》である。国や地方公共団体などに500万円以上を寄付すると授与される。要は「買える勲章」というわけだ。見た目は地方の土産物屋に売ってそうなメダルそのもの。原価は数千円ではないか。

勲章に限らず、為政者たちは人間の名誉欲や承認欲求をうまく活用してきた。軍人や警官の階級もそうだろう。現代日本でも自衛隊員や警官が殉職すると、一階級、もしくは二階級特進するのが通例である。

殉職のような「死」は極端だが、名誉職とされる活動は、客観的には罰ゲームに近い場合も多い。名誉を保つにはお金も時間もかかる。名誉のために世話役や雑用係を買って出てくれる人がいるから社会は回る。

身分の高い者には相応の社会的義務が発生するというノーブレス・オブリージュも、要は名誉を保つためと考えればわかりやすい。

しかし勲章にしても賞にしても、結局は人間が決めるもの。しかも少数の人間が、極めて政治的な利害関係を鑑みて判断することも多い。決して客観的な指標ではないし、高位の勲章をもらった人が必ずしも立派だとは限らない。

そんなことはみんなわかっているはずなのに、名誉欲に抗うのは難しい。

ある大物財界人は、どうしても桐花大綬章が欲しかったのだが、結局、旭日大綬章になってしまった。それを知って大泣きしたという話を聞いたことがある。世間的には立派な経営者で、十分すぎるくらい地位も名誉も手にしたように見えるのだが、本人としては桐花大綬章を人生の上がりとしたかったらしい。メルカリでレプリカでも入手して、プレゼントしてあげたい。

（2020・7・30）

命を賭けて勲章を欲しがっている人には男性（もちろん高齢）が多い気がする。特に、会社を辞めてしまえば「ただの人」になってしまうサラリーマン社長にとっては、何としてでも肩書きが欲しいのかも知れない。

他者の記憶の中で生き続ける

「人は2度死ぬ」という有名な考え方がある。1回目は生物学的な死、2回目は記憶上の死というわけだ。

『リメンバー・ミー』は、2度の死をテーマにしたディズニー映画だ。主人公の少年は死者の国に迷い込んでしまう。その世界では、死んだはずの者たちが楽しく暮らしているのだが、全ての生者から忘れられてしまうと2度目の死が訪れる。

よくできた映画だと思うのだが、不満があるとすれば悪人の位置づけが不明なこと。『リメンバー・ミー』のような死者の国があれば、アリストテレスから仏陀、イエス・キリストはもちろん、ジョン・レノンやエルビス・プレスリーまで古今東西の有名人が暮らしているはずだ。教科書に載るような偉人は、死者の国で永遠の命を手にすることになる。

では、悪名高き人々はどうなるのか。ホロコーストを実行したアドルフ・ヒトラーのような悪人の存在もまた、人類は忘れることがないだろう。

誰も殺さず、誰にも迷惑を掛けず、必死に毎日を生きた凡夫たちがすぐに2度目の死を迎え、何百万人の命を奪った独裁者が永遠に生き続けるのなら、随分と死者の国は不平等である。

もっとも教科書に掲載され、後世の人々が名前を記憶することと、一般的な意味でいう「忘れない」には大きな隔たりがあると思う。

日本で「卑弥呼」や「聖徳太子」の名前を知らない人はいないと思うが、彼らの人となりは謎だ。歴史書に残された記述は極めて断片的で、彼らが単独の人物として実在したかさえ怪しい。

現代史でも同じだ。アジア太平洋戦争の主導者の一人である東条英機には多様な評価がある。戦時中、道ばたのゴミ箱を漁って、庶民の経済状況を「視察」していたというのは有名な話だが、その逸話が残されているのは新聞記者をわざわざ同行させていたかたら。オープンカーでの移動を好んだ東条は、どのように自分がマスコミで報道されるかを意識した、メディア時代の宰相だった。

ヒトラーにしたって、現代人がイメージする彼は、もっぱらナチス自身が製作した映像によるものだ。つまり最も勇ましく見えるように編集されたヒトラーを見せられているわけで、そこに普段の彼がいるわけではない。

では21世紀になるとどうか。今度は有名人でなくても、膨大な情報が残される時代になった。本人のSNSはもちろん、他人が撮影した動画まで含めて、ほとんどの人はすでに卑弥呼以上の動静を未来の歴史家に手渡している。

しかし情報が多すぎると、その個人を一つの像に結ぶのが難しい。「結局、どんな人だったの」と聞きたくなる。どんな人であっても、同世代に生き、実際に面識のあった人々が消えてから生々しく生きながらえるのは難しいのかも知れない。

だからせめて覚えていようと思う。そしてその人を知る人と会った時には、何度でも話をしようと思う。その人がどんな風に生きて、どんなものが好きで、どんな夢を見ていたのかを。

（2020・8・6）

命はその本人だけではなく、他者の中にも内在している。当人が忘れてしまった過去の出来事を、古い友人が覚えていたりする。昔の変な癖を、その頃に付き合っていた恋人が受け継いでいたりする。そんな風に、誰かの命は受け継がれていく。

第四章　今も昔もまあこんなもの

ＩＴ後進国日本は変われるのか

本当なら今頃、東京オリンピック・パラリンピックが開催されていた。

２０２０年7月下旬から8月にかけての東京は、心配されていたほどの酷暑にはならないが、雨が多いようだ。「やはり新国立競技場には屋根が必要だった」という批判が再燃していたかも知れない。

連日のようにメディアは、日本がいくつメダルを獲得したとか、選手がいかに努力してきたかとかを、暑苦しく伝えていたことだろう。街には外国人旅行者の姿が目立ち、インバウンドを狙った施設は賑わいを見せていたはずだ。

そんな風に、実際には訪れなかった２０２０年の夏を想像してみる。今よりは明るい顔の人や、羽振りのいい人は多かったと思う。

だけど仮に新型コロナウィルスの流行が発生せずに、オリンピックが開催されていても、日本が順風満帆だったわけではない。

この国の最大の問題は、少子高齢化である。元気な労働者や消費者が減っていく中で、高齢者の介護や医療にかかる費用は増大していく。たった一度のオリンピックくらいで、少子高齢化が解決するわけがない。

それでもオリンピックの開催が決まってからの7年間、根拠のない希望がこの国を照らしてきた。様々な社会変革のゴールが2020年に設定され、いくつもの提案がなされてきた。

たとえば、政府が2015年に改定した「世界最先端IT国家創造宣言」によれば、2020年までに「世界最高水準のIT利活用社会」が実現するのだという。曰く「ITを利活用した公共サービスがワンストップで受けられる社会」を目指すらしい。

しかし実際の2020年になって露呈したのは、日本が「世界最先端IT国家」どころか、医療機関から保健所への指定感染症の届け出がFAXで行われていたり、全住民に10万円を配るのにも難儀する悲惨な国だという事実だ。

新型コロナウィルスは全く関係がない。問題は2020年までに「世界最高水準のIT利活用社会」が実現していなかったことだ。

恐ろしいのは、予定通りにオリンピックが開催されていたら、このIT後進国日本の惨状が見過ごされていたかも知れないことだ。この先何年にもわたって保健所ではFA

Xが使用され続け、マイナンバーの活用も進まなかったのではないか。

去年の秋、ある官僚の友人と「マイナンバーカードを運転免許証と一体化して欲しかった」という話で盛り上がったことがある。しかし官僚の答えは「絶対に無理」。縦割りの官僚機構の中でも、特に警察は異質。彼らが免許という権益を手放すとは思えないというのだ。

しかし6月から開催されている政府の会議では、マイナンバーに関して、運転免許などの国家資格、さらにはスマホとの一体化の可能性も議論されている。少なくとも「絶対に無理」という雰囲気は変わりつつある。

後世から見れば、オリンピックが開催されなかった2020年、日本は変わったと評価される可能性さえもある。まあ、形状記憶合金のようにすぐ古い日本が戻ってくる気もするけど。

（2020・8・20）

「現代の若者に、昔は現金というものがあった、病院に行くときは保険証の提示を求められた、車の運転には免許証というカードが必要だったと言っても信じてもらえないだろう」などと書けるのは一体いつの日か。

幽霊を怖がる合理性

突然だけど、幽霊を信じますか？

僕は、どちらでもいいと思っている。暗闇を歩くときに嫌な感じがしたり、誰もいないはずなのにぞくっとしたり、それを「幽霊」と解釈したい人はすればいい。

仮に幽霊が存在しても、できることは限られている。世に溢れる体験談が本当だったとしても、彼らは「人間を物陰から見つめる」「ちょっと身体に触る」「扉を開ける」くらいのことしかできない。要は猫や犬と同じくらいの能力だ。

もちろん、勝手に見知らぬ幽霊が家に侵入してきて凝視されたら、いい気分はしない。しかしそんなのは、幽霊だろうが人間だろうが嫌である。

そもそも気味が悪いかどうかの境界線は、人間か幽霊かではなく、親しさではないだろうか。

死んでしまった大好きな友達が幽霊として会いに来てくれることと、会ったこともない生きた変態に押しかけられるのとなら、どう考えても前者がいい。幽霊だから怖いのではなく、見知らぬ者だから怖いのだ。

怪談や都市伝説に登場する幽霊も、ほとんどは異質な他者である。たとえば昭和時代に流行した口裂け女。設定によれば、夜道を歩いている子どもを襲ったり、おもむろにマスクを外して「私、きれい？」と声を掛けてくるという。そんな変質者は、生きた人間でもお断りである。現代なら、自治体の配信する防犯情報メールで警告される案件だ。

かつては夏休みになると、よくテレビで怪談番組が放送されていた。霊能力者が心霊写真の鑑定などをしていたものだが、このデジタル時代には厳しい企画である。今や誰でも写真を加工できるし、素人の合成はすぐに見破られてしまう。

そもそもスパイ衛星や監視カメラが世界中を凝視する時代に、幽霊の居場所はどんどん減っている。曖昧な体験談で幽霊の存在を訴えようものなら、中室牧子あたりに「エビデンスは？」と問い詰められそうだ。

しかし人々がスピリチュアルな存在を信じなくなったわけではない。NHK放送文化研究所が2018年に実施した調査によれば、「神」を信じる人は30・6％、「仏」は37・8％、「あの世や来世」も10・8％である。宗教や信仰に関して「何も信じていない」という人は31・8%だから、約7割の人は「何か」を信じていることになる。

そもそも人類にとって、幽霊の存在は必要不可欠だったのかも知れない。「幽霊を信じてしまうような臆病な人々が、進化の過程で生き残れた」という説がある。たとえば文明が発達する前、暗闇は脅威だった。実際、動物や賊に襲われる危険も高かっただろう。

だから「夜は幽霊が怖いから出歩かない」といった行動には合理性があったのだ。その臆病者の末裔である現代人に幽霊が見えてもおかしくない。

このエッセイを最後まで読んでしまった人は、3人に勧めないと、今夜あたり何かが起こるかも知れない。と、怪談の定番のオチを一応、記しておく。

（2020・8・27）

三浦春馬くんがこの世界から姿を消した翌日だったと思う。僕の家で、朝方まで城田優くんと話し込んでいた。会話が途切れた瞬間、玄関の方から物音がした。優くんは「春馬だったりして」と泣きながら笑っていた。その物音は少しも怖くなかった。

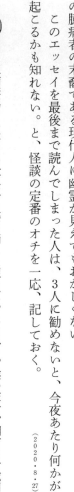

もし新型コロナが30年前に流行っていたら

東京の空に飛行機を見る機会が増えた。林立するビルの上空をジャンボ機が飛んでいる。2020年の春から羽田空港の新飛行ルートの運用が始まったのだ。

本当なら、今まで羽田から直行便が就航していなかったミラノやストックホルムなどの都市に行きやすくなるはずだった。実際の展開はご存知の通りである。新型コロナウイルスの流行により、海外に行くこと自体、非常に難しい時代が訪れてしまった。

事実、飛行機はスカスカらしい。全日空によると6月の国際線の旅客数は前年同月比96・2％減だという。もちろん減便をしているが、それでも座席利用率は3割を切っている。

近年、これほどまで移動の自由が制限された日々もなかった。個人が移動の自由を持つこと。それは近代社会の大原則と言ってもいい。それを証明するように、基本的に近代の刑罰といえば死刑、罰金、そして自由刑である。日本では禁錮と懲役、拘留にあたるが、多くの場合、犯罪者は自由刑に処されることになる。

前近代にたくさんあった残酷な身体刑のほとんどが自由刑に置き換えられた。なぜか。哲学者の國分功一郎さんは、移動の自由の制限こそが人間にとって最も苦痛であるからだと推測する（國分功一郎・大澤真幸『コロナ時代の哲学』）。

感染症予防という大義名分があれば、移動の自由は制限されていいのか。この問いは、30年前だったらより深刻に議論されていたのではないかと思う。

もしも新型コロナウィルスが1990年頃に流行していたら、PCR検査数に関してSNSで激論が交わされることも、芸人がオンライン飲み会で下半身を露出させたことがニュースになることもなかった。人々は新聞や雑誌、テレビの情報をもとに、より孤立した生活を送らざるを得なかったはずだ。今とは寂しさの質が違っただろう。

もちろん電話やFAXはあったが、リモートワークを成立させるのは困難だったはずだ。事前に手紙やFAXで電話会議の時間を伝え、顔が見えない中でお世辞や嫌味を言う。想像しただけで大変そう。

昔から新技術が登場するたび「こんなことがリモートでできます」と喧伝されてきた。たとえば19世紀末から20世紀初頭にかけては、晩餐会などのパーティーはもちろん、裁判や結婚式まで電話や電信で済ませようとする動きがあった（キャロリン・マーヴィン

『古いメディアが新しかった時』)。

21世紀の感覚でも「電話で裁判なんてできっこない」と思ってしまうが、実はそう感じる現代人こそ保守的なのかも知れない。電話が登場した頃と比べて、我々は遥かに多くのテクノロジーを手にしている。

シンガポールの裁判では、Ｚｏｏｍで死刑判決を受けた被告もいるという。対面こそ素晴らしいという幻想から自由になる機会が増えてもいい。

移動を伴わずとも多くのことが済んでしまう時代に新型コロナが流行したことは、幸せだったのか不幸だったのか。

(２０２０・９・３)

自由刑という刑罰は、相対的に厳しさを増していると思う。日本で矯正施設に収容された場合、スマホで検索もゲームもできない。昔はそれが当たり前だったが、今やスマホは「健康で文化的な最低限度の生活」にも必須。いつか刑務所でもスマホが解禁されるのだろうか。

「属性」ではなく「状態」

心に刺さった棘というと大げさなのだが、ふと思い出す昔の会話がある。

あれは中学3年生の卒業式間際の出来事だ。卒業アルバムが配られ、巻末に級友たちと寄せ書きをしあっていた。同じ班で、すぐ後ろの席に座っていたトモコさんからも一筆頼まれた。

その時の僕が何の気なしに書いたメッセージは「変わらないでいてね」。トモコさんはクラスでも評判の優等生で、真面目な人だった。その良さを失わないで程度の意味だったのだが、今から考えると「変わらないで」という一言はあまりにも重すぎる。なぜなら、人は変わるのが当たり前だから。一日の中でも友人に見せる顔、恋人に甘える顔、上司をあしらう顔は違う。成長すれば性格や顔立ちさえも変わっていくだろう。

僕はほとんどのことは「属性」ではなく「状態」だと思っている。

たとえば「仕事ができる」「仕事ができない」というのは、その人の生まれつき変えられない「属性」ではなく、あくまでも「状態」。職場や上司を変えれば「できない人」

が「できる人」になることも大いにあり得る。

さらに言えば性別や国籍さえ生涯変えられない「属性」と思い込む必要はない。「男」や「女」、「日本人」や「アメリカ人」というのも、たまたま今その状態にあるだけ。強く望むならば、性別も国籍も変更可能だ。

つい先日出版した『アスク・ミー・ホワイ』という小説も、「変わる」ことがテーマの一つになっている。

主人公はアムステルダムの日本料理店でバイトをする20代半ばのヤマトという青年。彼女とも別れ、冴えない毎日を送っていたが、ふとしたことからドラッグ騒動で引退した元人気俳優と知り合う。

彼と出会ったことで、主人公の日々はどんどん充実していくが、同時に悩みもする。主人公は彼に好意を持つ。それは彼が有名人だからなのか。それとも純粋な友情なのか。もしくは愛情なのか。そんな甘い葛藤に苛まれるのだ。

先ほどの話に引きつけて言えば「異性愛」「同性愛」というのも、死ぬまで変わらない属性というよりも状態なのだと思う。

元々は「#うちで旅する」というハッシュタグをつけてツイッターで連載していた小

説。新型コロナウィルスのせいで、海外旅行がしにくい時代になってしまったから、ヨーロッパを舞台に、人と人が思い合う物語を描いてみた。編集者のつけてくれたキャッチコピーは「今年Ｎｏ．１ロマンチック・ストーリー」。コロナのせいか作風まで変わってしまったようだ。

ちなみにタイトルはビートルズの曲名。「ア」から始まったので、続編を書くとすれば『イエス・イット・イズ』だろうか（今のところ予定はない）。

しんみりと中学時代を振り返るはずが新刊の宣伝になってしまった。トモコさんが「変わらないで」と書かれたことなどすぐに忘れてくれていたらいいと思う。今はどこで何をしているのだろう。

（２０２０・９・10）

たまにグーグルやフェイスブックで、疎遠になってしまった同級生や教師のことを検索する。建築家、イラストレーターなどそれぞれの人生を送っているが、いくら時間をかけても全く情報が出てこない人も多い。

安倍政権は本当に独裁的だったのか

安倍首相の辞任が報じられた日、ある野党議員がテレビのインタビューを受けていた。おそらく記者からの質問の中で辞任を知ったのだろう。

その時の狼狽した顔が忘れられない。批判対象としてきた政権が終わるというのに、茫然自失といった表情を浮かべていた。

あるテレビ番組での共演者も、繰り返し「残念」とつぶやいていた。本気で落ち込んでいるようにも見えた。その人も、政権に対して批判的だったはずなのに。

そんな様子を眺めながら、僕は小学校の頃を思い出していた。散々、担任の先生の悪口を言いながら、いざその先生が辞めることが決まると急に焦り始める児童たち。実は彼らこそ「学級」や「先生」に一番期待をしていたのだ。「いざとなれば先生が何とかしてくれる」と思っていたのかも知れない。

後世の歴史家は安倍政権の評価に悩むことになるだろう。かつて安倍晋三は「ヒトラー」や「独裁者」に喩えられたこともあった。戦争をしたがる「ウルトラ国家主義者」

という評価さえあった。

しかし事実上の「有事」とも言える新型コロナウィルスの流行に対して、政権は穏健な態度を貫いた。

むしろ「ウルトラ国家主義」を求める声は「リベラル」を自称してきた人々の中でこそ高まっていた。たとえば主要野党は罰則付きの外出制限・休業指示を可能とする法整備を求めていた。

こうした声に対して首相は「私権の大きな制約を伴うことになりますので、慎重に考える必要がある」と答弁している。そもそも緊急事態宣言の発出にさえ、政権は決して積極的ではなかった。少しも「ヒトラー」らしくない。

また、働き方改革や幼保無償化に代表されるように、旧来の自民党では難しかった制度改革も進んだ。その意味で、安倍政権は旧民主党が求めてきた政策をいくつも実現させたとも言える。とりわけ人気のない集団的自衛権や消費増税に関しても、旧民主党政権時代の流れを汲むものでもある。

首相個人のイデオロギーというよりも、長期政権は中道的な性格を帯びるものなのだろう。元々の応援団だけではなく、新規の支持者を獲得する必要があるからだ。

その意味で、選択的夫婦別姓や同性婚まで議論が進まなかったのは残念だった。

逆説的だが、ある程度「保守的」と思われている政権のほうが、「リベラル」な政策は実現させやすい。保守政党の長期政権だからこそ実現できたことは、まだまだあったように思う。

こんな想像をしてみる。もしもすでに安倍政権が倒れていて、より脆弱な政権でコロナ禍を迎えていたらどうなっていただろう、と。世論の声に押されるままに、罰則付きの外出制限などの法律をどんどん成立させ、新首相本人はウキウキと「強いリーダー」を演じていたのではないか。それこそ「独裁」や「ウルトラ国家主義」の幕開けである。20世紀を振り返る限り、ファシズムの熱狂は民衆から巻き起こっている。国家に過剰な期待をすべきではない。

（2020・9・17）

まさかジョン・スチュアート・ミルの『自由論』を真剣に読み返す時代が来るとは思わなかった。権力による「予防」の原理は、たやすく「道徳警察」と結びつき、「自由」が失われてしまうという指摘は、決して古びていない。初版は1859年である。

「重大ニュース」は相対的に決まる

マスコミとは勝手なもので、「安倍首相辞任」が報じられた瞬間から、ぱたりと新型コロナウィルスのニュースが減った。

あれだけコロナの危機を煽っていたワイドショーまでもが、総裁選のことばかり。確かにコロナの陽性者数は減少傾向にあるが、会見の行われた8月28日に合わせてウィルスの変異が起こったわけではない（当たり前だ）。

「重大ニュース」は相対的に決まる。報道番組には尺があり、新聞や雑誌にはページという制約がある。今年の初めから夏頃まで、ニュースがコロナ一色だったのは、それ以上に深刻な出来事が起こらなかったことの裏返しでもあった。

もし世界大戦が勃発したり宇宙人が襲来していたら、メディアはコロナに見向きもしなくなっていただろう。

未来の歴史教科書において「2020年に新型コロナウィルスが流行した」という出来事は、どのような扱いになるのだろうか。

それは、これから数十年に起こる事件次第である。約1世紀前の1918年、世界でスペイン風邪の大流行があった。日本（内地）でも45万人以上が命を落としている。関東大震災の犠牲者の約5倍だ。

しかし現在の歴史教科書で、スペイン風邪に関する記述はほぼ皆無。1918年の年表を見ても「シベリア出兵」「米騒動」「原敬内閣成立」といった具合だ。

なぜスペイン風邪は忘れ去られてしまったのか。歴史人口学者の速水融は著書『日本を襲ったスペイン・インフルエンザ』で、死亡率が高いとはいえず流行もすぐに去った、超有名な人物の命を奪わなかったなどの理由を挙げる。

加えて、1918年が歴史の曲がり角だったことも重要だという。第一次世界大戦が終結し、戦勝国になった日本はその後、国際連盟の理事国になった。国内では、米騒動に象徴される社会運動や労働運動が盛り上がる。電力生産量が増え、庶民の生活も近代化されていく。

当時の日本にとってスペイン風邪は、相対的に「軽い」事件だったのだ。さらに1923年に起きた関東大震災は、死者数こそスペイン風邪よりは少ないが、東京や横浜の景観をがらっと変えてしまった。この点が感染症の流行と違う。そのインパクトもあり、後世まで語り継がれているのだろう。

2020年の日本は、「オリンピック延期」「安倍政権が終幕」「多目的トイレ不倫」などのニュースがあったものの、やはり衝撃と影響でいえばコロナに勝るものではない。しかも全てコロナ関連ニュースとも言える。

その意味で、コロナは、スペイン風邪よりも死者数は遥かに少なく済みそうだが、未来の歴史教科書に掲載される公算は大きい。

むしろ、それを願うべきなのかも知れない。これからコロナ以上の大事件が起きませんように、と。

世界のコロナへの対応は戦争そのものだった。それがガス抜きとして機能したことで、しばらくは大戦争は起こりにくくなったのではないか。しかし天災は防ぎようがない。未来が不安な時代は続きそうだ。

（2020・9・24）

近未来の日本に起こり得る天災としては、南海トラフ巨大地震、富士山噴火などがある。特に火山灰被害は深刻だ。鉄道の電気系統が故障したり、飛行機の運航が中止になるなど、都市機能にも大きな影響が出ることが予測されている。

本当の自由人はなかなかいない

芸能人が事務所を離れ独立する事例が相次いでいる。その時に話題に上るのが、誰が後ろ盾になるか、ということだ。

独立するほど人気もパワーもある芸能人なのだから、後ろ盾など必要ないと思ってしまうが、必ずしもそうではない。現に「干される」という現象がある。公正取引委員会など国の介入もあり、昔のように露骨な嫌がらせはないだろうが、大人の世界は往々にして「忖度」で動くものである。

そんな時に頼りになるのが後ろ盾だ。「あの人がバックにいるなら友好的にやろう」「不祥事を起こしても何とかしてくれるだろう」と、一気に仕事が頼みやすくなる。ある大物芸能人が大手事務所から独立する時にも、大物財界人に相談があったらしい。

もちろん、本人に余人をもって代えがたい才能がある場合は別だ。しかし残念ながら「代えがたい」人などあまりいない。芸能界には常に新人が供給され続ける。俳優だろうがタレントだろうが、すぐに代わりの誰かは見つかるものである。本当にリスクを冒してまで起用したい人物など、一握りだろう。

この話は芸能界に限らない。組織を離れて働くことが称賛されて久しいが、本当の自由人はなかなかいない。自由であるはずの彼らは、大抵「東大卒」や「元電通」といった形で、学歴や経歴を安心材料に使っている。

歴史を振り返ると、天皇でさえ常に後ろ盾を必要としてきた。

たとえば古代の天皇（大王）は、自らが中国の「家来」であることを積極的にアピールした。たとえ臣下であっても、巨大国家である中国に認められたという事実が、国内での威信を高めたのである。

時代は下り、中世の天皇にとっては将軍が最高の後ろ盾だった。14世紀、後円融天皇は皇位継承者の決定を将軍である足利義満に頼もうとした。義満の決定とすることが、権威付けになると考えたのだ。

結局、天皇が意中の後継者を選ぼうとすることに、義満は「私がいる限りはご安心下さい」とお墨付きを与えている。中世における天皇と将軍の関係がわかって興味深い（桃崎有一郎『室町の覇者 足利義満』）。ちなみに後円融天皇はその後、義満に恋人を寝取られ（真実は定かではない）、精神を病んだといわれる。

人間の社会とは、こうも変わらないものかと思う。これからの時代も、庇護者は必要とされているのだろう。ただしそれが生身の人間であるとは限らない。

テクノロジーが後ろ盾代わりになる時代が来るのかも知れない。遺伝子情報や行動履歴を総合的に評価し、ＡＩがお墨付きを与えてくれるというわけだ。そのＡＩの後ろ盾が示す信用度と保険制度などが連動すれば、もはや人間の後ろ盾は必要ない。

しかし昔も、人間以外を後ろ盾にする場合があった。私有地を守りたい時、「神様のもの」とすることで、外部者の侵入を防いだのだ。本当に人々がＡＩを信頼するようになると「ＡＩのお墨付きを受けている」と嘘をつく人が増えるのかもね。


（2020・10・1）

誰かを信頼するのは、それが「楽」だからだろう。人間関係において、全ての行動を精査し、疑念を抱いていたら疲れてしまう。そこで「この人のことはとりあえず信じよう」と決めてしまうのだ。

「DX」って何？

「DX」という言葉が流行している。この場合、豪華（デラックス）という意味ではなく、「デジタルトランスフォーメーション」のこと。論者によって定義は違うが、要は「デジタル化を進めていきましょう」という話だ。少し前まで「IT化」や「情報革命」という言葉で語られてきた内容と大差がない。

こんな風にまとめると、DX推進論者は怒るはずだ。おそらく彼らはこんな反論をするだろう。「DXと単なるデジタル化やIT化は違う。DXとは単なる技術革新を指した言葉ではない。IT技術を使って、企業のあり方やマインド、人々の生活スタイルまでを変えようとするのがDXなのである。乱暴にまとめるな」と。

まあ、言いたいことはわかる。省庁が目指すハンコ廃止の議論を例にするならば、全てのハンコを電子印鑑に置き換えれば一応「デジタル化」は達成されたと言える。

しかし稟議のために何度も電子印鑑の「捺印」を求められたり、「電子印鑑でもお辞儀に見えるように左に傾けて押せ」というような謎マナーが生まれてしまったら、業務自体は全く効率的にならない。

本当のDXのためには、「下からの提案をどんどん通していく」「ハンコを押すことが主な仕事の中間管理職を解雇していく」「失敗した場合、責任の所在を明確にしておく」というように組織風土そのものを変える必要がある。

まあでも、そんなことは昔の人もわかっていた。

半世紀前には「情報化社会」論や、「脱工業社会」論が流行している。経済企画庁の官僚だった林雄二郎は『情報化社会』の中で、大企業や政府を批判し、「〝ハードな社会〟の価値体系は徹底的に変えなければならない」と主張していた。現在のDXにもつながる内容だが、本の出版は1969年である。

DXとIT化の違いを偉そうに語る書籍やウェブ記事は多いが、『週刊新潮』の読者からすれば些末なことに見えるはずだ。

その直感は正しい。

そもそも「情報化社会」論も「IT革命」も「DX」も、議論の核は「技術を使って社会を変えていきましょう」という点にある。だったら無駄な新語など必要ない気もするが、違うのだ。「新しいことをしましょう」「世の中を変えましょう」と主張する時に、

「情報化」や「IT化」という手垢のついた言葉は似合わない。

そこでこのたび発見されたのがDXである。つまり、こう言い換えることもできる。DXが流行しているのは、DXという言葉が新しいからに過ぎない、と。だから「DX」と「IT化」の議論が似ているのは当然なのだ。些末な差異を大きく見せないと新語として説得力がない。そのような苦悩がDX論の裏側にあるのだ（もちろん、ただ流行に乗せられているだけの思慮の足りない人もいるだろう）。

予言しよう。5年後も10年後も50年後も、人々は新しい言葉を見つけて、今日の「DX」と同じような議論をしているはずである。そして、このエッセイのような皮肉を誰かが書いているのだろう。

（2020・10・15）

世に溢れる「DX」という言葉だが、そのほとんどは「IT化」や「情報化」と読み替えても意味が通じてしまう。まあ、その程度の言葉ということです。

「年寄りは新しいものが苦手」なのか

「年寄りだから新しいものが苦手」という人がいる。本人が言う場合もあるし、家族がそう決めつけることもある。そういった言葉を聞く度に疑問を抱く。なぜなら「年寄り」ほど、社会の大変化を受け入れてきた人々だからだ。

たとえば90歳前後の人は、アジア太平洋戦争を知っている。戦前と戦後の変化は、ポストコロナどころの騒ぎではない。国号や憲法が変わり、占領地を失い、首脳陣が一新された。３００万人以上が命を落とし、戦後にはベビーブームが起こった。まさに「国の形」が変わったのである。

70歳前後の人は、直接は戦争を経験していなくても、高度成長と共に育った。白黒テレビ、洗濯機、冷蔵庫などの家電と共に生活はどんどん便利になった。一連の生活革新の衝撃は計り知れない。日本のライフスタイルは大きく変わった。

それに比べたら、ここ最近の「新製品」の数々はインパクトが弱すぎる。たとえばｉＰｈｏｎｅの新機種は毎年のように発売されるが、「ｉＰｈｏｎｅ11」と「ｉＰｈｏｎ e12」の違いは、「洗濯板」と「洗濯機」と比べれば誤差のようなものだ。最新のiPhone12を買ったところで、多少の自尊心は満たされるかも知れないが、生活が一変するとは考えにくい。

それくらい戦後の変化とは大きいものだった。敗戦国から経済大国への変貌という意味でも、テレビやエアコンなど新製品の登場という意味でも、年長者は数々の「新しいもの」を受け入れてきたはずなのだ。

そんな大変化を経験した人が「新しいものが苦手」というのは大いに解せないのである。

ところで、なぜiPhoneをはじめとしたスマートフォンは世界中で大成功を収めたのだろうか。なぜ日本のガラケー文化は滅びてしまったのだろうか。

iPhoneの特徴は、文化や宗教、階層、国籍などを超えて受け入れられたという点にある。要は操作が簡単なのである。乱暴な言葉を使えば「馬鹿でも使える」ということだ（もちろん賢い人でも使える）。

一方、ガラケーに代表される日本の電化製品は難しすぎる。今でも覚えているが、僕が子どもの頃はテレビ番組をビデオデッキで録画予約するのも一苦労だった。リモコンの細かなボタンを駆使して時間を設定する。Gコードが導入されただけでも、随分と楽になったと感激したものだ。

複雑怪奇な日本の家電を使いこなしてきた人が、スマートフォン一つ操作できないわけがない。要はメタ認知の問題なのだと思う。「新しいものは無理」と初めから思い込んでしまっているのではないか。高齢者自身が「高齢者かくあるべし」という偏見に囚われすぎている気がする。

戦前と戦後の変化に比べれば、近頃の「新しいもの」は、さほどラディカルではない。騒ぐなら頭にチップを埋め込む時代になってからにして欲しい。

（2020・10・22）

何かを「難しい」と感じる場合、それは作り手のセンスのなさを疑ったほうがいい。たとえば日本の郵便局のウェブサイトは最悪だ。まず、どでかく変なお詫びや告知が表示される。一方、ノルウェーの郵便局のサイトは、まずトップに荷物の追跡番号の検索ボックスが出てくる。人が何を期待して「郵便局」と検索しているのかを考えている国と考えていない国の違いだ。

グーグルより信頼されない日本政府

今年の国勢調査は回答率が伸び悩んだという。そりゃそうだと思う。僕はネットで回答したのだが、途中で挫折しそうになった。

一つ目の理由は不信感から。氏名や電話番号、居住地などを入力していくわけだが、この情報を誰が見るのかよくわからない。もちろん「調査票に記入された個人情報は、厳重に守られます」などと書かれているが、いまいち信じ切れない。

自分でも不思議なものだと思う。たとえばグーグルなどの検索サイトや、クレジットカード会社には、個人情報の塊を提供しているのだから、本当は電話番号を記入するくらい何てことがないはずだ。宅配便を送る時でさえ氏名や電話番号くらいは書く。

しかも僕は、おそらく多くの人よりも「国家」の中に知り合いが多い。彼らのほとんどは優秀であり、何か悪事を働く人だとは思えない。そもそも国勢調査で得られる情報くらいでは、悪用にも限度がある。

それで言えば、警察の恣意的なマスコミへのリークのほうが遥かに悪質だ。芸能人の逮捕の瞬間になぜかカメラが居合わせていたり、地方公務員法違反を疑われるようなケースがままある。

国勢調査を面倒に感じたもう一つの理由は「それくらいわかるでしょ」と思ってしまったから。住民基本台帳や税務情報などを組み合わせれば、国民の基本情報は把握できるだろう。

それでは職業や学歴などの情報、一時的な転居を認識できないのはわかるが、その一部は他の統計でも捕捉できる。

2020年にもなって国勢調査が実施されているのは、国家が国民の情報を一元的に把握できていないことの証とも言える。最近の政府はデジタル化に躍起で、概ね世論も歓迎しているようだ。

しかしデジタル化が進んで「便利になる」ということは、国家による国民の一元管理が進行することも意味する。そこで一波乱起きるのではないか。情報提供を拒まれがちという意味で、最近の日本国はグーグルやアマゾンなどの外国企業よりも信頼が薄い。

便益の可視化も重要なのだろう。アマゾンには住所を知らせないと品物が届かないが、国勢調査に応じるメリットは不明瞭だ。

日本で国勢調査が始まったのは１９２０年である。実施を主導したのは、実は官僚ではなく学者たちだったようだ（佐藤正広『国勢調査 日本社会の百年』）。当時から日本には戸籍制度があり、住民管理という意味では事が足りていた。

しかし統計学者は、より精密で広範な国民のデータを欲しがった。そこで国勢調査は「文明国のあかし」であり、国民統治のためには経済を含んだ国家情勢の調査が不可欠だと、指導者に訴えたわけである。

「国勢調査に混らぬ人は死んだお方か影法師」「この調査に洩れては国民の恥です」。第1回の国勢調査が実施された際に用いられた標語だという。当時はそれが「恥」と考えられたのかも知れないが、常に監視と管理の目が気になる現代人は「影法師」になりたいと願う人のほうが多いだろう。

（２０２０・10・29）

結果的に２０２０年の国勢調査は、期間が延長され、回答率は81・３％となり、前回（２０１５年）の71・０％を上回ったという。この国には真面目な居住者が多かったようだ。

自分に期待しないで生きる

国際調査によれば日本の若者は自己肯定感が低いという。若者に限らずとも「自分に自信がない」という人は少なくないだろう。

しかし自己肯定感というのは、自分に対する期待の高さと表裏一体だと思う。「自分に自信がない」と言う人は「自分に期待している」人でもあるのだ。

本当だったらもっと上手にできた。今回はベストを尽くせなかった。もう少し頑張れたはずだ。やっぱり私はだめなんだ。そのような言い訳を聞く度に「本当？」と疑ってしまう。

僕はあまり自分に期待していない。他人から評価される仕事もあるし、批判される言動もあるが、いつも「こんなものだろう」と思って受け止めている。

何かに失敗したとして、時間を戻せば上手にやれるかというと、多分そうはいかない。誰でもコンディションを一定に保つのは難しいから、うまくいく時といかない時はあるだろう。

だけど人は急には変わらない。小手先だけで人生を修正しようとしても、結局は似たようなところで躓いてしまうものだと思う。

目標を立てるというのも嫌いだ。目標というくらいだから、それはまだ「自分のもの」ではない。それにもかかわらず、達成できないと、なぜか自分が損なわれた気がする。ただ何も手に入れられず、何も失わなかったというだけなのに。おかしな話だ。

不必要に傷つかないためには、できるだけ自分のせいにしないというのも大事だと思っている。何かアクシデントが起こった時、その原因をどう帰責させるか。裁判や保険の査定では厳密な検証が必要だろうが、日常生活では「誰かのせい」くらいに考えておいたほうが気楽でいい。

僕の場合、「自分のせい」にするのは最後だ。

たとえば、本当は届いているはずの郵便物が、家に見当たらなかったとする。その場合、僕はまず先方を疑って、「きちんと送ってくれましたか」と確認する。それが確認できたら次は日本郵政を疑う。いくら郵便事故率が極めて低い日本でも間違いはゼロではないだろう。

そして最後の最後で、自宅を探す。そうすると大抵、見つかる。他人からしたらいい迷惑だろうが、こちらの精神衛生上、心地がいい。

もちろん「自分のせい」と思ったほうが楽だという人もいるだろう。

物事の責任を追及していくと、「社会」や「時代」「遺伝」といった、自分では手に負えないような大きな存在に行き着いてしまう。「時代のせい」と思って心が晴れるならいいが、その次のアクションが難しい。だったら「自分のせい」と納得してしまったほうが対処はしやすい。

だけどその時も、「自分」を高く見積もり過ぎないほうがいい。この世界を生きていく上で、自分一人の力でできることは知れている。独裁者でさえ腹心の動向や世論には気を遣うものだ。そういえば自信満々に「死ぬこと以外かすり傷」と言っていた編集者も「かすり傷でも致命傷」になることを身を以て示していた。

自分への期待はほどほどに。


（2020・11・5）

「かすり傷でも致命傷」となった編集者は、少しの間、表立った発信を控えていたものの、すっかり元通りになった。この時代、勇気を持つことや鈍感であることの重要性は高まるばかりだ。

「夜の経済」が乏しい日本

　ＪＲ東日本が終電の繰り上げを発表した。首都圏17路線が対象で、山手線では主要各駅で16分から20分程度、終電が早くなる。

　情報番組では「飲み会で締めの一杯が頼めなくなっちゃう」など牧歌的な会社員の声が紹介されていたが、実は日本の転換点ともなるニュースだと思う。

　近代史を振り返る限り、都市の夜はだんだん眩しく、そして短くなってきた。電気もなかった時代、電気が開通しても暗い電球程度しかなかった時代を経て、現代の夜は非常に明るい。コンビニはもちろん、クラブやバーなど朝まで開いているお店も多い。

　それでも日本は、他国に比べてナイトタイムエコノミー（夜の経済）が貧弱だと言われてきた。たとえばイギリスでは都市部の空洞化現象に危機感を抱き、１９９０年代初頭から積極的に夜の経済を発展させてきた。何とロンドン市は「夜の皇帝」（Night Czar）という役職まで新設している。イギリスにおける夜の産業は、コロナ前には10兆円規模にまで達していたという。

ちなみにアムステルダムにも「夜の市長」という役職がある。国際都市では夜の経済振興は当たり前の政策の一つである（木曽崇『「夜遊び」の経済学』）。韓国のソウルでは、東大門《トンデムン》のファッションビルが一晩中営業している。

夜の経済を考える上で重要なのが、夜間における公共交通機関の充実だ。地下鉄の終夜運転ではニューヨークが有名だが、ロンドンを初めとした多くの国際都市が、夜間でも電車を走らせるようになっている。

夜の経済振興に出遅れていた日本だが、この10年で気運が変わってきた。

東京都も猪瀬直樹知事時代には、都営地下鉄・バスの終夜運転が検討された。手始めとして、2013年12月には渋谷と六本木間を結ぶ通称「猪瀬バス」が走り始めた。元々、この区間は電車や地下鉄が直通していないため、昼間でもバス利用者が多い。それまで終バスが0時前後だったのを、24時間走らせることにしたのだ。

しかし同月、知事は徳洲会事件で辞任してしまう。せっかく5000万円を運んだバッグを公開したのに、札束に見立てた発泡スチロールのブロックが入りきらず、チャックが締まらなかったという一件が懐かしい（未来の人がこの文章を読んでも何のことかわからないと思う）。

結局、「猪瀬バス」は廃止され、東京における夜の公共交通機関は貧弱なままだ。鉄道よりも保守点検が簡単なバスの24時間運行は、世界中の都市で実施されていて、決して筋の悪い政策ではなかったと思う。

しかし新型コロナウィルスが流行し、夜の街自体が、目の敵にされてしまった。

コロナが終息しても、恐らく終電は繰り上げられたままだろう。そもそも高齢化が進む日本に夜の経済は似合わないのかも知れない。コンビニの24時間営業さえ見直される時代なのだ。

代わりに、高齢者が得意な朝の経済が脚光を浴びるのかも知れない。ラジオ体操とか、太極拳とか、お金の匂いは全くしないけど。

（２０２０・11・12）

１９４４年の全国鉄道時刻表によれば、山手線の内回りで、品川駅始発の４時13分の列車に乗ると、上野駅には４時32分に着いた。現在は始発時間が20分ほど繰り下がっている上に、所要時間も２分ほど長くなっている。

ミヤシタパークから見えた景色

今年の夏、渋谷にミヤシタパークが誕生した。3階までが商業施設、屋上に公園とホテルがある。開業から日が浅いこともあり、中々の盛況ぶりだ。

特徴的なのは、ミヤシタパーク内部からは「渋谷」がよく見えること。忙しなく行き交う鉄道、ゴテゴテした看板、古い雑居ビルなど、日本らしい統一感のない景観を望むことができる。通り抜けもしやすくて、まるで渋谷の渡り廊下のよう。

商業施設が、徹底的に外部の視点を遮断していた時代があった。お台場のヴィーナスフォートが有名だ。内部には荘厳な柱や噴水などヨーロッパの街並みが再現され、空までが作り物なので、来場者はそこがお台場であることを忘れてしまう(元ネタはラスベガスのフォーラムショップスだろう)。

このように、商業施設をテーマパークのように開発するという手法が流行していた。恵比寿ガーデンプレイスも六本木ヒルズも、全国に点在する巨大イオンモールも、あまり街が見えない。

しかし渋谷に商業施設を造る時、わざわざ「渋谷」を隠すのは勿体ない。

かつて渋谷は、私鉄のターミナル駅、サラリーマンの街としてのイメージが強かった。それが１９６４年の東京オリンピック前後の再開発で代々木公園や宇田川町一帯が整備され、ぽつぽつと小劇場が誕生する。寺山修司の天井桟敷《さじき》館や、渋谷ジァン・ジァンだ(牧村憲一ほか『渋谷音楽図鑑』)。

それまで「若者の街」といえば新宿だったが、文化の中心が徐々に渋谷へ移ってきたのだ。流れを加速させたのが１９７３年に開業した渋谷パルコや79年の１０９、89年のＢｕｎｋａｍｕｒａである。80年代後半に「渋カジ」というファッションスタイルや、「渋谷系」という音楽ジャンルも流行した。タワーレコードやＨＭＶなどのレコード店が発信源となり、多数のスターが生まれた。

こうして渋谷には「若者の街」という印象が定着していく。１９９９年にはスクランブル交差点の前にＱＦＲＯＮＴが開業し、その年末には新たなミレニアムを迎える大規模なカウントダウンイベントが開催された。同じ頃、スポーツバーも増加し、ワールドカップなどの祝祭時に人々が集まる場所としても認識されていく。最近は「ハロウィンの街」としても有名だった。

興味深かったのは『ジャパニーズハロウィンの謎』という本の報告。「陽キャの人」が「ワイワイしている場所」かと思って観察に行くと、「本当に雑多」で「各々が思い描くハロウィンを楽しんでいる」だけだったという。2018年の話である。

今年の渋谷ハロウィンは、新型コロナの影響もあり、例年以上に冴えない人が多かった印象だ。僕の知る限り、東京で最も「陽キャ」の人々（というかパリピ）は、虎ノ門にできたばかりの外資系ホテルを借り切って盛大なパーティーをしていた。

ところで今日も、渋谷で仕事があったのでミヤシタパークを通り抜けてきた。渋谷は背景として優秀な街であるが、残念ながら買いたいものは特になかった。

（2020・11・26）

雑誌掲載時には、ナカムラさんがイラストで「わざわざ見せたいほどの唯一無二の街並みは渋谷のような限られた都会にしかないんだよね」と突っ込んでくれた。その通りである。

「気持ち」を根拠にする人たち

「凶悪な少年犯罪が増え、治安は悪化する一方だ」

約20年前、このような論調が流行していた。確かに当時、神戸連続児童殺傷事件や西鉄バスジャック事件など、世間の耳目を集める少年犯罪が毎年のように起こっていた。結果として、刑事処分の対象年齢が引き下げられるなど、社会は少年犯罪の厳罰化に舵を切ってきた。

しかし統計を見れば3秒でわかるように、少年犯罪、その中でも凶悪犯罪は、長期的に見れば大きく減少している。殺人で検挙された20歳未満の人数は、1960年代までは300～400人程度で推移していたのが、70年代後半には100人前後まで低下、最近では年間40～60人程度である。強盗などの凶悪犯罪や、全年齢の犯罪にも似た傾向が見られる。

日本の治安は、昔に比べて劇的に改善しているのだ。この事実は当時から指摘されていたが、意外な反論に遭った。いくら統計的に犯罪率が下がっていても、とても感覚的にはそう思えないというのだ。特に警察トップが「体感治安」という言葉を多用し、数字が苦手な評論家も「体感治安」の悪化を憂えていた。

あまりにもひどい論法だと思う。人々の「気持ち」に準拠して社会を構築していいなら、ディストピアを作るのも簡単だ。実際の殺人数が膨大でも、犯罪報道を統制したら、「体感治安」なんて良くなってしまう。

さすがに最近では「治安が悪くなる一方」という勘違いをする論者は減ってきた。統計という客観的データを前にして、「気持ち」を重視した主張をするのは無理だと気付いたのだろうか。「エビデンス」という言葉が流行するくらいに、この国のリテラシーも上がってきたのだと思っていた。

だが、このたびの新型コロナウィルス騒動では、「気持ち」を根拠に議論する人々が大量に出現した。彼らは、いくら最新の統計や研究成果を前にしても、「怖い」の一点張りだった。

「東アジアでは感染者数が抑えられている」「陽性者を全て把握できていなかったとしても、死者数を見る限り、日本で感染爆発は起こっていない」などの基本的なデータからも目を背け、まるで宗教のように恐怖を煽り続けた。

興味深いのは、その中に、かつて「体感治安」を批判した論者も含まれていることだ。政府批判ができれば主張内容はどうでもいいのかも知れないが、「気持ち」を根拠にした議論は危険である。誰もが好き嫌いを表明してもいいが、他人を巻き込む権利まではない。

しかし難しいのは、ここからだ。ミルの『自由論』では、他人の自由に干渉できるのは、自衛の場合のみと述べられている。まさに治安も感染症も自衛に関わる。実際、公衆衛生においては、多数の利益のために、少数の自由を制限することが正当とされてきた。

ただの「気持ち」も、公衆衛生の問題にすり替えられてしまうと、途端に反論がしにくくなるのだ。街が怖いというのなら、それを他人に強要するのではなく、自分だけでステイホームをしていればいいと思うけど。

（2020・12・3）

「何か気に食わない」という感情が社会変革の第一歩だということは否定しない。しかし、それを他者に伝え、仲間を作り、実際の変化につなげていくには、エビデンスもレトリックも必要である。SNSに溢れる「お気持ちポリティックス」には、そのどちらも欠けている。

「青年の主張」はなぜ終わったか

今年も紅白歌合戦の時季がやって来る。「いや、興味ないし」という人の方が多いかも知れない。確かに紅白の注目度や存在感は、猛烈に下落中である。１９６３年には世帯視聴率81・4％を獲得した怪物番組も、２０００年以降は第2部でさえ視聴率50％を切り続け、２０１９年には37・3％まで落ちた。

出場歌手の発表も、それほど大きなニュースにはならない。今年も、新型コロナウィルスの流行が続く中での紅白の割には、あまり特別感のないラインナップだ。

それでも「存在感が下がった」という話題が広く通用するくらいには、紅白はまだ「国民的番組」と言えるだろう。

かつて紅白と並びＮＨＫが誇る国民的番組があった。成人の日に放送されていた「青年の主張」である。１９５５年からラジオ放送が開始され、１９６５年にはテレビでも生放送される。皇族臨席のもとで、全国の成人式を迎えた若者たちが、テーマに沿った「発表」をするのだ（佐藤卓己『青年の主張』）。

１９７０年代には視聴率15％を超えていたが、次第にタモリやとんねるずなどからパロディの対象とされてしまう。タモリにはＮＨＫの番組内で「ＮＨＫには『青年の主張』というお笑い番組がありますが」と発言したという逸話もある。

１９９０年には「青春メッセージ」と名前を変え、２００４年には番組自体が幕を下ろしてしまう。

なぜ紅白は続いたのに、「青年の主張」は終わったのか。

それは、この国が「夢」や「理想」といった未来を必要としなくなったからではないか。番組が始まった頃、日本は今と比較にならないほど貧富の差や地域の差が大きかった。文字通り、「青年」には「主張」すべき夢があったのである。

しかし今、素朴に夢を語るのは難しい。しかも本当に夢があるなら、ＮＨＫの番組でただ叫ぶのではなく、投資家に緻密なビジネスプランを見せに行ったり、自分でプログラミングの勉強をしたり、すべきことはたくさんある。

一方の紅白は、いつも「日本人」を笑顔で迎えてくれる「安住の地」である（太田省一『紅白歌合戦と日本人』）。故郷から離れ一人で年末を迎える人の孤独も、気に食わない親戚と共に過ごす大晦日の憂鬱も、全て紅白が包んでくれるのだ。「青年の主張」は未来を見据え、紅白は過去と共にあると言い換えてもいいかも知れない。

　その紅白の視聴率が下落し続けるならば、もはやこの国の人々は「安住の地」を必要としないくらい、それぞれの居場所を見つけられたことを意味する。ほとんどの国民が何時間も同じ番組を観ていた時代のほうが異常とも言える。

　そんな中、今年は「青年の主張」が復活するらしい（11月29日放送）。ＮＨＫの番組ウェブサイトには「２０２０年を奪われた若者たちの〝魂の叫び〟を受け止めよう！」と記されている。興味深いのは、「奪われた」という「断念」を制作者が重視していることだ。やはりこの国にはもう未来がないのか。


（２０２０・12・10）

２０２０年は「若者」が注目を浴びた一年だった。「コロナが流行しているのは、若者が出歩いているせいだ」という類いのメッセージが繰り返し発信されたのである。明確なエビデンスもないはずだが、人口の少ない若者は、政治家にとって批判しやすい標的なのだろう。

応援の怖さ

昔から運動が嫌いだった。体育の授業はもちろんスポーツ観戦にも興味がなかった。その理由が最近、ある小説を読んで初めて整理できた気がする。渡辺浩弐さんのショートショートを集めた『2020年のゲーム・キッズ』だ。

舞台は世界的に疫病が流行した2020年の、さらに後の時代。人々は物理的な接触を忌避し、最新テクノロジーを活用した「新しい生活様式」のもとで暮らしている。

「無観客試合」という作品がある。主人公は嫌われ役のボクサー。面白いのは、応援にまつわる状況である。プロスポーツはオンライン観戦が当たり前になった代わりに、課金応援ができるようになった。ただ競技を観るだけではなく、観客はお金を払うことで試合に影響を与えられるのだ。

たとえば野球ならば風を起こすことができる。何万人の観客が課金をすることで勝敗までが変わってしまう。さらに格闘技は露骨で、選手は全身にパッチを貼り付けていて、課金した観客は敵側に電気ショックを与えることができる。

小説の語り手曰く「昔のスポーツファンはずいぶんな馬鹿だった」。応援といいながら、ただ無意味に唾を飛ばし、病原菌を撒き散らしていただけと手厳しい。

しかし物語で描かれる近未来は、実は現在と地続きだ。この小説が問い掛けるのは「スポーツの応援とはパワハラなのではないか」という不都合な真実である。

スポーツファンは無邪気に若い選手を応援する。ひたすら競技に打ち込む姿に心を打たれ、さらに強くなって欲しいと願う。ひたむきにスポーツに向き合う選手と、純粋な気持ちで応援するファン。一見すると非常に美しい構図である。

しかし若い時期をスポーツに捧げることで、身体を痛め、人生を狂わせてしまう選手は少なくない。

サッカー選手の平均引退年齢は26歳前後だという。当然ながら一般に引退後の人生の方が長いわけだが、誰もが指導者や解説者になれるわけではない。不遇なセカンドキャリアを送っている話もよく耳にする。

もちろんこの社会では、本人の希望が最優先だ。どんな人生を歩むか、どのような職業に就くかは当事者が決めることだ。スポーツ選手になりたい人を止める権利はない。自己決定と自己責任は、近代社会の基本原則の一つである。

だが純粋な応援が、結果的に選手を追い込んでしまうことがある。というか、それは応援という行為の宿命だ。善意から発せられる「頑張れ」の声を受けて、スポーツ選手は身体や時間など、貴重な資産を犠牲にしてでも戦おうとする。

もちろんアイドルへの応援にも、受験勉強を頑張る生徒への応援にも同じことが言える。しかし特にスポーツでは、身体に不可逆的な犠牲を強いる。しかもセカンドキャリアの整備が不十分ときたものだ。

スポーツの世界は非常に残酷である。中でも応援という行為は残酷だ。そのことにどれだけの人が自覚的なのだろうか。

（２０２０・12・17）

子どもの頃から『ゲーム・キッズ』シリーズのファンである。１９９０年代の連載を読み返しても、かなり正確に現代（当時から見れば未来）を予見した作品が多い。独裁者が自分に都合の悪い歴史をインターネットから消してしまう短編は秀逸だった。

流行の「上流」と「下流」

２０２０年に大流行した作品の一つに「愛の不時着」がある。テレビや雑誌では繰り返し特集が組まれ、時の首相までが夫婦で観ていたという。さて、『週刊新潮』読者にも『「愛の不時着」で泣いた」という人が多いかも知れない。一体、いつくらいに作品を知り、実際に観たのはいつでしたか。

自慢ではないが、僕の友人界隈では日本のＮｅｔｆｌｉｘで配信が始まってすぐ、２月下旬には大きな話題になっていた。俳優や漫画編集者などコンテンツ作りに携わる友人が多いためだろう。ＬＩＮＥを確認すると、2月23日には友人が「愛の不時着」について熱く語っていた。

流行には「上流」と「下流」がある。ファッションがわかりやすい。まずハイブランドが先鋭的にも見えるデザインを発表し、それが徐々に大衆向けブランドに普及していく。だから服には露骨な「パクリ」も多い。

「下流」と書くとマイナスに感じるかも知れないが、要するに大ブームのことである。

「上流」で注目されたものが、全て「下流」にまで行き届くわけではないし、かなりの期間がかかることもある。

「中流」あたりで話題になっているのが、ボーイズラブ（ＢＬ）だろう。アメリカでは、大統領の息子と英国王子のラブコメＢＬがベストセラーになった。中国の「陳情令《ちんじょうれい》」や、タイの「２ｇｅｔｈｅｒ」といったドラマも世界中で注目されている。

ちなみに「陳情令」は日本の公式サイトで「ブロマンス・ファンタジー時代劇」と説明されている。興味のない人にはさっぱりだと思うが、ブロマンスとは男同士の熱い友情のこと。ＢＬと違って性的な関係にはならない。ただし「陳情令」の原作小説の「魔《ま》道祖師《どうそし》」は完全なるＢＬである。

ブロマンスというフィルターをかけて映画やドラマを観てみると、作品数の多さに驚くはずだ。

何か情報を得る時も、「上流」と「下流」は意識したほうがいい。

たとえば、浜崎あゆみと松浦勝人（作中では「あゆ」と「マサ」）の恋愛を描いた『Ｍ』という小説がある。チープなドラマも話題になった。『Ｍ』によれば、あゆの初期のヒット曲は、ほとんど全てがマサに向けられたものだったという。ヒット曲「Ｍ」は

「Ｍａｒｉａ」だけではなく「Ｍａｓａｔｏ」も意味していたのである。

　実は関係者の間では、二人が付き合っていたのは有名な話だった。しかしあゆの全盛期、ただの高校生だった僕は、そんなことを知るよしもない。「ＳＥＡＳＯＮＳ」という曲のＰＶで、あゆは喪服に身を包み、限りのない絶望を歌っている。てっきり大切な人の死を歌った楽曲かと思っていたら、ただ単にマサと別れただけだったのだ。

　その事実を初めて知った時は衝撃だった。一次情報の重要性に気付かされたわけだが、同時に「下流」ゆえに発生する誤解も悪くないのかなと思った。まさに評論というジャンルがそうだが、当事者には気付けない解釈や発見というものがある。「下流」には夢（という名の誤解）が溢れている。

（２０２０・12・24）

「ＴＯＫＹＯ　ＳＰＥＡＫＥＡＳＹ」というラジオ番組で、小室哲哉さんと華原朋美さんから、それぞれ90年代の話を聞く機会があった。興味深いのは、二人で全く記憶が食い違っている出来事がたくさんあったこと。『羅生門』や『サンチェスの子供たち』のようで興味深い。

幻の２０２０年回顧録

２０２０年が終わる。

今年は何といってもオリンピックの年だった。多少の雨には見舞われたが、心配されたような猛暑にはならなかった。７月24日に開催された開会式では、途中から上がった雨が演出に一役買い、大きな評価を受けたことが記憶に新しい。まさか渦中の桜を使ってくるとは思わなかった。

パラリンピック開幕前日の８月24日に、安倍首相は連続在任日数が歴代１位となった。アメリカではトランプ大統領が再選されたこともあり、２０２１年９月末の退任後には外務大臣として活躍するという噂もある。

お祭りムードに支配されていた２０２０年だが、冷静に数字で振り返ると喜んでばかりもいられない。まず、あれだけ喧伝されたインバウンドの効果は限定的だった。

航空会社が臨時便を飛ばさなかったことからもわかるように、劇的に訪日観光客が増加したわけではない。読者の中で、オリンピックに合わせて海外旅行に行ったことのある人は、どれだけいるだろう。多くないはずだ。世界の人々も同じである。

言ってしまえば、オリンピックとは大きな運動会。準備期間を含めて学校の雰囲気は変わるかも知れないが、それが生徒の成績や学校のランクに大きな影響を及ぼすものではない。

実際、この国では最大の問題である少子高齢化が止まる気配はない。改元時には「令和婚」が話題になったものの、出生数は変わらず減少傾向にある。

一方で死亡数は戦後最多の140万人を記録しそうだ。高齢者の「分母」が増えているため、医療・介護体制を充実させたところで、どうしても死者数は増加の一途を辿る。高齢者が外出を控え、日本中が手洗いやマスクをすれば、多少は感染症で死亡する人が減るのかも知れない。

社会保障費も増え続けている。日本は人口当たりの病院数や病床数が世界一であり、平均入院日数も長い。しかし医師の数はそれほどでもない。相対的に少ない医療従事者のハードワークが、世界一の病床数を支えているのだ。

ビル・ゲイツなどが警告するように世界的なパンデミックはいつ発生してもおかしくない(しかもそれは一度とは限らない)。その日のために、日本でも病院の統合・再編成による効率化が必要なのだろう。

祭りの後はもっと寂しくなるのだと思っていた。しかしオリンピック後も、日本経済にはドーピング剤が打たれ続けている。東京の開発は続くし、２０２５年には大阪万博が控えている。会場建設費は最大１８５０億円に上る計算だという。オリンピックと同じで、建設業など一部の産業だけが恩恵を受けるのではないかという批判は必至だ。

将来、どのように２０２０年は回顧されるのだろう。

本質的な問題から目を逸らして、祭りに浮かれていた年として？　その指摘は２０２１年以降も当てはまりそうだ（というわけで新型コロナウィルスの流行がなかった世界として、２０２０年を振り返ってみた）。

（２０２０・12・31／２０２１・１・７）

どんな２０２０年があり得たのだろうと考える。しかし２０２０年１月に一人だけ戻ることができても、一体何ができるのかは心許ない。

おわりに

楽観とは、腹をくくるということなのだと思う。

嫌な奴はいるし、期待通りに物事は進まないし、不平や不満が尽きることはない。それでも、僕たちはこの世界で生きていくしかない。

ひどい世界の乗り切り方は、大きく分けて二つある。一つは自分が変わり、現実の見方を変えること。もう一つは、世界そのものを変えてしまうこと。

そのどちらを選ぶにしても、楽観的であって損はない。かつて社会学者の上野千鶴子さんと対談した時、「楽観性にも悲観性にも、両方とも実は根拠がないのかもしれない」と言っていた。どうせ根拠がないなら、楽観的に生きてもいいのではないか。

ちょうど10年前、『絶望の国の幸福な若者たち』という本を出版した。「絶望」から「楽観」とは、宗旨変えもいいところだと思われるかも知れない。確かに僕自身、この10年で置かれた立場も変わったし、考え直した主張もある。

しかしこの本は、『楽観論』と銘打ちながら、時に悲観論で皮肉的だ。明治時代の学生、藤村操は「大なる悲観は大なる楽観に一致する」という遺書を残して自殺したが、悲観的であることと、楽観的であることは両立する。

恐らく、僕の考えの根っこには「あきらめ」がある。何かを期待する時は、同時に疑ってもいる。何かを主張する時は、完全には理解されないはずだと絶望している。

言葉は届かない。一人の力で社会は変わらない。夢を叶えるのは難しい。夢を叶えても幸せになれるとは限らない。生きている限り悩みは尽きない。

だけどいつも「それでも」と思ってしまう。「もしかしたら」と期待してしまう。「今度こそは」と夢を見てしまう。

そんな風に、いつも「あきらめ」と「それでも」の間を揺れながら、物事を考えている。もしも期待や夢だけを追い求めていたら、人生は辛いかも知れないが、根底に「あきらめ」があれば、何が起きても「そんなものか」と笑えてしまう。

あきらめながらも、腹をくくる。

受け入れながらも、視点をずらす。

それが「楽観論」の意味するところである。

この本は『週刊新潮』の連載「誰の味方でもありません」を書籍化したものだ。時期としては2018年から2020年に当たる。改元やパンデミックの時期に、リアルタイムに近い形で文章を残すことができたのは幸運だったと思う。

危機の時代に、書き手はどうしても真剣にならざるを得ない。本書が少しでも読み応えのあるものになっているならば、それは時代と編集者のおかげである。

連載中は、中瀬ゆかりさん、井上保昭さん、林健一さん、宮田優衣さんが的確な感想をくれた。ナカムラさんはいつもシニカルでチャーミングなイラストを寄せてくれた。新書化にあたっては、後藤裕二さん、阿部正孝さん、西山奈々子さんにお世話になった。新潮新書を出すたび、こうしてお礼を言う人数が増えていて、いつかは謝辞だけで一冊作れてしまうのかも知れない。

せっかくなので、読者にもお礼を伝えておく。

テレビは視聴者数こそ多いものの、街ですれ違うくらいのカジュアルな関係性しか構築できないと思っている。しかし書籍における著者と読者は、一対一でまとまった時間、向き合うことになる。

こうして新しい本を出版できたこと。そして今、こうして文章を読んでくれている人がいることが嬉しい。

イラスト　k.nakamura

初出　『週刊新潮』　掲載号は各項末尾に付記しています。

古市憲寿　1985(昭和60)年生まれ。社会学者。慶應義塾大学SFC研究所上席所員。同世代を代表する論客としてメディアでも活躍。著書に『絶望の国の幸福な若者たち』『誰の味方でもありません』等。

Ⓢ新潮新書

918

楽観論《らっかんろん》

著　者　古市《ふるいち》憲寿《のりとし》

2021年8月20日　発行

発行者　佐　藤　隆　信

発行所　株式会社 新潮社

〒162-8711　東京都新宿区矢来町71番地
編集部(03)3266-5430　読者係(03)3266-5111
https://www.shinchosha.co.jp

装幀　新潮社装幀室

印刷所　大日本印刷株式会社

製本所　加藤製本株式会社

ISBN978-4-10-610918-8　C0236

Ⓢ新潮新書

566
だから日本はズレている
古市憲寿

リーダー待望論、働き方論争、炎上騒動、クールジャパン戦略……なぜこの国はいつも「迷走」してしまうのか？　29歳の社会学者が「日本の弱点」をクールにあぶり出す。

810
誰の味方でもありません
古市憲寿

いつの時代も結局見た目が9割だし、血のつながりで家族を愛せるわけじゃない。〝目から鱗〟の指摘から独自のライフハックまで、多方面で活躍する著者が独自の視点を提示する。

876
絶対に挫折しない日本史
古市憲寿

思い切って固有名詞を減らし、流れを超俯瞰で捉えれば、日本史は、ここまでわかりやすく面白くなる！　歴史学者ではない著者だからこそ書けた、全く新しい日本史入門。

648
戦略がすべて
瀧本哲史

この資本主義社会はRPGだ。成功の「方程式」と「戦略」を学べば、誰でも「勝者」になれる――『僕は君たちに武器を配りたい』著者が、24の「必勝パターン」を徹底解説。

820
ケーキの切れない非行少年たち
宮口幸治

認知力が弱く、「ケーキを等分に切る」ことすら出来ない――。人口の十数％いるとされる「境界知能」の人々に焦点を当て、彼らを学校・社会生活に導く超実践的なメソッドを公開する。

Ⓢ新潮新書

856
私の考え
三浦瑠麗

「人生は一回限り。人間、迷ったら本音を言うしかない」常に冷静に、建設的に言論活動を続けてきた著者が、政治について、孤独について、人生について、誠実に向き合った思索の軌跡。

877
インサイドレポート
中国コロナの真相
宮崎紀秀

初動を遅らせた原因は「習近平独裁」にあった——。猛烈な危機の拡大とその封じ込めの過程で、共産党中国は何を隠し、何を犠牲にしたのか。北京在住の記者による戦慄のレポート。

880
生き抜くヒント
五木寛之

老いと病いを道連れに、こんな時代をどう生きればいいのか。ユーモアとペーソスの陰に処世の知恵がキラリと光る。『週刊新潮』人気連載から厳選、35の「生き抜くヒント」！

882
スマホ脳
アンデシュ・ハンセン
久山葉子訳

ジョブズはなぜ、わが子にｉＰａｄを与えなかったのか？　うつ、睡眠障害、学力低下、依存……最新の研究結果があぶり出す、恐るべき真実。世界的ベストセラーがついに日本上陸！

903
どうしても
頑張れない人たち
ケーキの切れない非行少年たち2
宮口幸治

彼らはサボっているわけではない。頑張れないがゆえに、切実に助けを必要としているのだ。困っている人たちを適切な支援につなげるための知識とメソッドを、児童精神科医が説く。

Ⓢ新潮新書

883
空気が支配する国
物江潤

「空気」は、日本では法よりも総理大臣よりも上位に立つ存在である。この息苦しさを打ち破る手立てはあるのか。得体の知れぬものの正体を若手論客が鮮明かつロジカルに解き明かす。

904
マスクをするサル
正高信男

コロナ禍の象徴・マスクは人類史上、パンツにも匹敵する意識と行動の変容をもたらすのか。霊長類学と人類学、社会学など多様な視点から考える、ポスト・コロナ文化論の試み。

908
国家の尊厳
先崎彰容

暴力化する世界、揺らぐ自由と民主主義――日本が誇りある国として生き延びるために、国と個人はいったい何に価値を置くべきか。令和を代表する、堂々たる国家論の誕生！

881
いじめとひきこもりの人類史
正高信男

逃げ場を失った現代社会、いったい何が「いじめ」と「ひきこもり」を生みだしたのか。５００万年にわたる人類史から、ポストコロナの社会像をも見据える壮大な文明論。

874
コンビニは通える引きこもりたち
久世芽亜里

「9割近くは外出している」「不登校がきっかけは2割以下」「半数近くは7年超え」――。親は、社会は、何をすればいいのか。激変する昨今の引きこもり事情とその支援法を徹底解説。

Ⓢ新潮新書

003 バカの壁　養老孟司

話が通じない相手との間には何があるのか。「共同体」「無意識」「脳」「身体」など多様な角度から考えると見えてくる、私たちを取り囲む「壁」とは——。

149 超バカの壁　養老孟司

ニート、「自分探し」、少子化、靖国参拝、男女の違い、生きがいの喪失等々、様々な問題の根本は何か。「バカの壁」を超えるヒントが詰まった養老孟司の新潮新書第三弾。

740 遺言。　養老孟司

私たちの意識と感覚に関する思索は、人間関係やデジタル社会の息苦しさから解放される道となる。知的刺激に満ちた、このうえなく明るく面白い「遺言」の誕生！

663 言ってはいけない　残酷すぎる真実　橘玲

社会の美言は絵空事だ。往々にして、努力は遺伝に勝てず、見た目の「美貌格差」で人生が左右され、子育ての苦労もムダに終る。最新知見から明かされる「不愉快な現実」を直視せよ！

799 もっと言ってはいけない　橘玲

「日本人の3分の1は日本語が読めない」「人種と知能の相関」「幸福を感じられない訳」……人気作家が明かす、残酷な人間社会のタブー。あのベストセラーがパワーアップして帰還！

Ⓢ新潮新書

673
脳が壊れた
鈴木大介

握った手を開こうとしただけで、おしっこが漏れそうになるのは何故⁉　41歳で襲われた脳梗塞と、その後も続く「高次脳機能障害」。深刻なのに笑える感動の闘病記。

767
コンビニ外国人
芹澤健介

全国の大手コンビニで働く外国人店員はすでに4万人超。ある者は8人で共同生活し、ある者は東大に通い――。なぜ増えた？　普段は何をしている？　知られざる隣人たちの実情とは。

817
フィンランドの教育はなぜ世界一なのか
岩竹美加子

高い学力はシンプルな教育から生まれた――テストも受験も、部活も運動会も、制服もなし、教科書は置きっ放し、それでなぜ？　どうして？　その秘密、教えます。

824
ジャニーズは努力が9割
霜田明寛

SMAP、TOKIO、V6、嵐、KinKi Kids、滝沢……努力で厳しい競争を勝ち抜いた16人の〝仕事哲学〟。そして、彼らを見抜き導いたジャニー喜多川の「育てる力」とは？

850
210日ぶりに帰ってきた奇跡のネコ
ペット探偵の奮闘記
藤原博史

「おかえり！」ペット専門の探偵は、家族再会のドラマを目撃した。実話7つを紹介、生き物を愛する全ての人に役立つ「万が一のための備え」と「捜索ノウハウ」も明かす奮闘記。